L'amour rêvé

LINDA MILES

L'amour rêvé

HARLEQUIN

COLLECTION HORIZON

*Cet ouvrage a été publié en langue anglaise
sous le titre :*
HUSBAND-TO-BE

Traduction française de
GABY GRENAT

⟨H⟩ et HARLEQUIN sont les marques déposées de
Harlequin Enterprises Limited au Canada
Collection Horizon est la marque de commerce de
Harlequin Enterprises Limited.

*Toute représentation ou reproduction, par quelque procédé que ce soit, constitue-
rait une contrefaçon sanctionnée par les articles 425 et suivants du Code pénal.*
© 1997, Linda Miles. © 1997, Traduction française : Harlequin S.A.
83-85, boulevard Vincent-Auriol, 75013 Paris — Tél. : 01 42 16 63 63
ISBN 2-280-13904-9 — ISSN 0993-4456

1.

Licenciée... Encore une fois ! Insensible à la beauté spectaculaire du coucher de soleil, Anna Hawkins referma la porte du magasin Morisson d'un geste découragé. Au-dessus de sa tête, le ciel de février virait au bleu indigo. Le soleil, semblable à une boule incandescente, se préparait à disparaître derrière les maisons qu'il inondait d'un splendide rougeoiement.

Licenciée... Le mot résonnait comme un glas à ses oreilles. Quelle guigne ! Ici encore, pourtant, son travail avait commencé sous les meilleurs auspices. N'avait-elle pas, toute seule et pendant deux mois entiers, géré de main de maître les affaires de M. Morisson ? En peu de temps, elle avait considérablement augmenté ses bénéfices. Si les médecins avaient eu la bonne idée de lui prescrire quelques semaines de repos supplémentaires, elle aurait certainement doublé ses profits.

Que peut demander de plus un homme d'affaires avisé ? Rien. Du moins, le croyait-elle. En toute logique, à son retour de Marbella, M. Morisson aurait dû se montrer enchanté de trouver une situation aussi florissante. D'ailleurs, Anna s'attendait à des félicitations, voire même à une augmentation. Mais il n'avait été question de rien de tout cela. Vraiment pas du tout ! Et pourquoi ? Tout simplement à cause de quelques petits changements, pourtant bien anodins, qui lui avaient attiré les foudres de son employeur.

Stupéfaite, Anna l'avait vu pointer sur elle un doigt menaçant. Si menaçant même qu'un instant, elle avait regretté d'avoir contribué à lui faire recouvrer sa belle santé. Quelle semonce il lui avait administrée ! Elle s'en souviendrait toute sa vie. La voix furieuse résonnait encore à ses oreilles.

— Je vous accorde, mademoiselle, que le mot « animaux » figure bien sur mon enseigne. Mais, avec un peu d'attention, on peut également lire : « *Nourriture* pour animaux », et non pas : « Refuge ». Mon magasin n'est pas un zoo ! Et, moi vivant, il ne le sera jamais ! Vous allez me débarrasser de votre ménagerie d'ici à la fin de la semaine et vous me ferez le plaisir de disparaître en même temps qu'elle...

Voilà comment, en moins de temps qu'il n'en faut pour le dire, Anna avait perdu son emploi.

« Allons, se dit-elle en faisant appel à son optimisme naturel, essayons de voir le bon côté des choses. J'ai réussi à caser tous mes protégés, sauf un. » Oui, mais... Le point noir était qu'il lui en restait un... un de trop. Surtout aux yeux de sa tante Harriett, chez qui elle vivait pour l'instant. Une femme adorable, certes, mais qui, contrairement à sa nièce, n'aimait pas les bêtes.

La jeune femme jeta un coup d'œil par l'un des trous de la boîte où elle avait placé le petit animal en attendant de lui trouver une famille adoptive. Parfait ! Pour l'instant, William ne paraissait pas souffrir de la situation. Quel dommage tout de même que sa tante fût aussi catégorique... Il était parfaitement calme et bien dressé. Pourtant, la jeune femme avait l'intuition que, même pour cette merveille, la brave dame ne dérogerait pas à ses principes. « Bah ! Trêve de pessimisme, songea-t-elle en retrouvant peu à peu son entrain. Les choses finiront bien par s'arranger... »

En tout cas, il y avait quelque chose d'indéniablement positif dans tout cela : pendant six mois complets, elle avait réussi à échapper à son sort. A cette pensée, un sourire de contentement s'épanouit sur son beau visage. Oui, elle était prête à tout supporter, y compris la colère de M. Morisson, plutôt que de renouer avec son ancienne profession. Debout des heures entières dans les marécages, à servir de pâture aux moustiques... Bien sûr, c'était pour effectuer des observations scientifiques, mais jamais on ne l'y reprendrait!

Au fait, que devenaient donc ces piquantes créatures maintenant qu'elles étaient privées de leur nourriture de prédilection? Une fossette mutine au creux de la joue, Anna s'amusa un instant à imaginer les gros titres dans les journaux : « Famine en Moustiquerie! Depuis la disparition d'Anna Hawkins, nourriture de base de cette communauté, une crise de malnutrition s'est déclenchée, suscitant les plus vives inquiétudes au sein de l'opinion internationale... » Le scénario lui plaisait assez!

En tout cas, Jake s'était bien trompé quand elle lui avait annoncé sa démission. Très surpris de cette décision, son fiancé et collaborateur lui avait en effet prédit qu'elle s'ennuierait à mourir loin de son cadre habituel. Quelle erreur! Chaque instant de sa nouvelle vie avait été un plaisir. Toujours bien décidée à épouser Jake, Anna était plus que jamais déterminée à ne pas faire une carrière scientifique.

D'accord, ses changements répétés d'employeur — quatre en six mois, pour être tout à fait exacte... — ne favorisaient guère la stabilité. Mais elle était sûre d'avoir fait le bon choix. Sûre et certaine. Un jour ou l'autre, elle trouverait le gagne-pain idéal, il suffisait pour cela de faire preuve d'un peu de patience. Bien sûr, en temps ordinaire, cette qualité n'était pas son fort, mais cette fois, elle saurait attendre autant qu'il le faudrait. Jusqu'à ce qu'elle ait trouvé l'emploi de ses rêves, celui qui lui permettrait enfin de porter un tailleur dans l'exercice de ses fonctions. En avait-elle rêvé, au milieu de ses marécages, de ce petit tailleur bien coupé, bien doublé, bien fini... Il était devenu une idée fixe, un idéal, le but même de son existence. Tant d'années passées à crapahuter en short kaki dans les lieux les plus inconfortables avaient créé en elle un besoin éperdu de féminité. Quel meilleur moyen, pour se sentir femme, que de porter un délicieux petit tailleur de lainage pastel ?

A cet instant, une vitrine sombre lui renvoya son image, et la jeune femme eut un petit sursaut. Bon... Evidemment, elle avait quelques progrès à faire. C'est cette lamentable coupe de cheveux qui gâchait tout ! Qu'allait dire Jake en la voyant ? Quelle erreur d'avoir fait confiance aux ciseaux de Brian ! Il était certes un copain adorable, mais quel médiocre coiffeur il faisait... Hélas, elle ne l'avait su que trop tard ! Connaissant le peu de goût de la jeune femme pour les salons de coiffure, il lui avait juré qu'en quelques coups de ciseaux, il lui ferait une nouvelle tête. Pari gagné ! Anna était effectivement méconnaissable. Le problème, c'est qu'elle ressemblait à un épouvantail ! En catastrophe, elle avait dû se précipiter chez un authentique homme de l'art qui, en voyant le désastre, s'était contenté de murmurer :

— Eh bien, il va falloir couper court pour rattraper ça...

Et effectivement, il avait coupé court, très court. Voilà pourquoi maintenant, au lieu de ressembler à une sérieuse jeune femme de vingt-sept ans, auteur déjà reconnue d'ouvrages savants aux titres explicites, tels *De la reproduction des maringouins en milieu tropical*, ou bien *L'anophèle et les cousins*, pour ne citer que les plus importants, Anna avait tout l'air d'une « punkette » de dix-huit printemps. Bien sûr, sa silhouette élancée moulée dans un jean noir et les confortables Doc Martens ne faisaient pas très scientifique... Et encore moins son T-shirt noir décoré d'une superbe araignée blanche ! Il allait lui falloir adopter un look plus classique, incontestablement.

Tout en marchant, elle porta une main hésitante sur ce qui lui restait de cheveux. Pouvait-on faire plus court ? Elle en doutait. Mais ce dont elle était sûre, c'est que Jake ne serait pas très content. « Mon Dieu ! Que la vie est donc compliquée ! pensa-t-elle. Et ce pauvre William qui n'a toujours pas de famille... » Sentant la sinistrose revenir à grands pas, elle décida de réagir aussitôt. « Procédons avec ordre et méthode, se dit-elle calmement. D'abord, caser William, c'est la priorité. Ensuite, mais ensuite seulement, chercher le petit tailleur de rêve. » Une fois en possession de ce vêtement fétiche, trouver un emploi ne serait plus qu'un jeu d'enfant.

Tout à coup, comme avertie par un sixième sens, Anna leva le nez et, là, à deux pas devant elle, elle *le* vit, dans la petite rue pavée de Blandings Magna. Manches trois-quarts, petit col ouvert, jupe au genou... En soie sauvage rose pâle. Bref, exactement celui dont elle rêvait ! Bien sûr, il ne se promenait pas tout seul. La jeune femme blonde qui l'arborait avait juché sa silhouette de star sur d'incroyables talons aiguilles, et s'appuyait négligemment contre la portière d'une Jaguar noire. On aurait dit qu'elle posait pour un magazine de luxe. Clouée d'admiration, Anna s'arrêta net : elle venait de rencontrer l'élégance absolue.

Le claquement du coffre de la voiture fit sursauter la jeune femme. A l'arrière du véhicule, un homme se redressa, réalisant à lui tout seul ce qu'un tremblement de terre n'aurait pas réussi à faire : arracher Anna à sa contemplation du tailleur.

En effet, si le chic et la beauté de l'inconnue paraissaient surprenants dans cette petite ville du bout du monde, que dire de l'homme qui l'accompagnait ? Des cheveux blond foncé, très brillants et épais, des yeux bleus, qui pétillaient dans son visage bronzé, une bouche volontaire... Le rayonnement qui émanait de sa personne ne permettait pas le moindre doute : cet homme savait ce qu'il voulait. Malgré le costume classique qu'il portait, on sentait bien qu'il se moquait du conformisme et des conventions.

Anna le fixait avec d'autant plus d'attention que ce

regard si incroyablement bleu ne lui paraissait pas inconnu. Ne l'avait-elle pas déjà aperçu quelque part? Mais où donc?

A cet instant, la beauté blonde demanda d'une voix étrangement rauque et flegmatique :

— Alors, Grant, tu as réussi à mettre la main dessus?

En un éclair, Anna mit un nom sur ce visage viril. Il s'agissait de Grant Mallett, bien sûr. Tout le monde avait entendu parler de Grant Mallett! Y compris Anna, pour qui l'actualité se résumait pourtant à *La Revue Scientifique Américaine*.

Il faut dire que cet homme avait eu droit à toutes les étiquettes possibles et imaginables : le « combattant écologiste », le « baroudeur incorrigible », l'« agitateur des foules »... Quoi encore? Ah, oui! Le « James Bond aux yeux outremer ». Il était réputé pour son talent à faire face aux situations les plus difficiles avec le naturel que d'autres mettent à s'asseoir au café du coin. Par exemple, quand, au fin fond de l'Amazonie, une bande d'aventuriers sans scrupule menaçait d'expulser une tribu de son territoire, on pouvait être sûr que Grant Mallett se promenait en pirogue à deux pas de là, et qu'il ne tarderait pas à mettre bon ordre à ces exactions. Ou encore, lorsqu'un groupe de braconniers s'introduisait dans une réserve du Kenya pour faire provision d'ivoire, immanquablement, Grant Mallett participait à un safari dans la région, et les pilleurs trouvaient à qui parler!

Anna repassait dans sa mémoire tout ce qu'elle savait au sujet de ce voyageur imprévisible. Voyons... Huit pays, au moins, l'avaient déclaré persona non grata. Quoi encore? Il avait été injurié dans une trentaine de langues différentes par des personnes haut placées, épinglées par ses soins, alors qu'elles prétendaient « ne faire que leur devoir ». Bref, c'était le genre d'homme avec qui, heureusement, elle n'avait jamais eu à faire équipe, car, en plus des moustiques, elle aurait certainement eu droit aux piranhas! Dieu soit loué, se dit-elle avec un soupir de

12

soulagement, Jake n'est pas du style à chercher les ennuis, au contraire même. D'ailleurs, c'est bien à cause de son sens des responsabilités qu'elle avait accepté de l'épouser.

Encore sous le coup de la surprise, la jeune femme cligna des yeux. Que faisait donc cet aventurier de haute volée à Blandings Magna? Et pourquoi cette femme blonde à ses côtés? C'était affolant de penser aux dangers que courait le délicieux petit tailleur rose en pareille compagnie.

Elle en était là de ses réflexions lorsque Grant Mallett se tourna vers sa compagne.

— Désolé, Olivia, nous avons dû l'oublier à la maison.

Quelque chose dans le ton de sa voix suggérait que le « nous » était de pure politesse...

La belle Olivia haussa les épaules.

— Aucune importance, chéri. Allons plutôt jeter un coup d'œil dans cette boutique d'antiquités avant la fermeture. Nous y trouverons peut-être quelque chose pour notre appartement.

Anna réalisa alors que si, au cours des jours précédents, la plupart de ses connaissances avaient adopté un ou plusieurs animaux de chez Morisson, ce n'était pas encore le cas de Joyce, la propriétaire du magasin en question. Joyce qui, de surcroît, avait un faible pour William. Chouette! Elle allait être enchantée de l'accueillir. Sans hésiter, Anna emboîta le pas au couple si élégant.

Au moment de pénétrer dans la boutique, Grant Mallett s'effaça devant sa compagne en murmurant pour lui-même :

— Quand je pense qu'on nous rebat les oreilles avec le problème du chômage alors que je n'arrive même pas à trouver une secrétaire...

Un feu d'artifice éclata aussitôt dans la tête d'Anna. Voilà! Elle avait trouvé la solution... Elle allait devenir secrétaire! Aussitôt, les images les plus grisantes se mirent à défiler devant ses yeux. Elle se voyait déjà trôner derrière un bureau bien en ordre, en petit tailleur sophistiqué et talons hauts. L'été, l'air conditionné la rafraîchirait, et l'hiver, le chauffage l'envelopperait de sa douce chaleur. Dans la kitchenette voisine, superbement équipée, la machine à café distillerait goutte à goutte son délicieux nectar parfumé. A cette pensée, Anna ferma voluptueusement les yeux. Et pendant ce temps, là-bas, au milieu des marécages infestés de moustiques, quelqu'un qui voulait vraiment devenir célèbre tenterait vainement de se revigorer en avalant un breuvage vaguement tiède, tiré d'une bouteille qui n'avait de Thermos que le nom. A cette évocation, le mirage se précisa encore. S'y ajoutaient maintenant une moquette confortable, des spots savamment orientés... Et toujours pas un seul moustique à l'horizon ! C'était ça, le paradis !

D'un pas décidé, elle pénétra dans la boutique.

Déjà, Olivia évoluait au milieu des meubles exposés, entraînant Grant dans son sillage. Intarissable, elle commentait de son étrange voix traînante tout ce qu'elle voyait. De temps à autre, elle laissait échapper une exclamation indignée à propos du prix affiché par Joyce. Parfois, elle demandait son avis à Grant Mallett. Mais lui qui, dans les circonstances les plus invraisemblables, était réputé pour savoir prendre des décisions aussi rapides qu'efficaces, se contentait de hausser les épaules avant de s'en remettre au jugement de sa compagne.

— Mais enfin, Grant, protesta finalement Olivia, ces meubles sont pour nous deux ! Tu dois bien savoir ce que tu aimes et ce que tu n'aimes pas !

Tout en continuant à rêver à son futur bureau, Anna suivait leur conversation avec une curiosité grandissante. En effet, alors que la belle Olivia évaluait d'un regard de connaisseur les meubles exposés, il devenait de plus en plus évident que, perdu au milieu des commodes et des armoires, Grant Mallett s'ennuyait à mourir. Après avoir étouffé de son mieux un bâillement intempestif, il déclara finalement :

— Olivia, je crois que notre appartement aura bien meilleure allure si tu te fies uniquement à tes goûts. En ce qui me concerne, une tente et une chaise pliante, c'est déjà du luxe ! Mes compétences s'arrêtent à la création de notre parc scientifique, au choix de son emplacement, à la construction du centre de conférences... Pour le reste, je te fais entièrement confiance. Je suis fou de joie à l'idée de poser enfin mes valises, mais je ne peux pas du jour au lendemain m'habituer à tout ce confort. Si tu savais comme la simple idée de meubler une salle à manger me paraît saugrenue !

Olivia hocha la tête, presque horrifiée par cet aveu.

— Seigneur ! Mais que deviendrais-tu sans moi ?

— Je me le demande bien ! rétorqua Grant d'un air faussement inquiet.

Anna perçut le pétillement malicieux du regard, mais Olivia ne parut rien remarquer. Elle se contenta de lever un sourcil parfaitement épilé, puis se replongea dans l'examen détaillé d'un vaisselier rustique qui avait attiré son attention.

La future secrétaire en tailleur très chic n'eut pas le loisir de reprendre son rêve éveillé. Joyce s'avançait vers elle, le regard rivé sur la boîte en carton qu'Anna tenait toujours à la main.

— Pas possible ! C'est William que tu transportes avec toi ?

— Hélas, oui ! répondit Anna.

Avec un soupir, Joyce posa le coupe-papier en ivoire avec lequel elle s'apprêtait à décacheter le courrier du matin. Anna poursuivit :

— Basil, Stephen et Chris avaient des couleurs si originales qu'ils ont tout de suite trouvé preneurs. Mais ce pauvre William est encore orphelin.

Joyce hocha la tête et, prenant la boîte dans ses mains, elle regarda par l'un des trous ménagés dans le couvercle.

— Quel amour de petite bête ! Il est assis dans son coin, sage comme une image.

— Oui, il a toujours sommeil quand il vient de manger.

— Alors... C'est toi qui vas le garder?

— A vrai dire... J'avais l'intention de te proposer de l'adopter.

La réponse ne fut pas celle qu'Anna espérait.

— J'adorerais, tu penses bien. Mais Mark n'en raffolerait pas. Et tu imagines la panique dans le magasin si je le gardais ici! Non, je préfère ne pas y penser...

Anna haussa les épaules, résignée. Que répondre à cela? Jake aussi avait dit non. Pourquoi Mark serait-il plus coopérant?

Elle en était là de ses réflexions lorsque le tailleur rose s'avança vers elles. Quant à Grant Mallett, qui cherchait désespérément une secrétaire et ne savait pas encore qu'il en avait une sous son nez, Grant Mallett, donc, était plongé dans la contemplation d'une tapisserie ancienne à l'autre bout du magasin.

De sa voix rauque, Olivia demandait:

— J'aime bien les chaises de cette salle à manger. Est-ce que vous me consentirez un rabais si je prends aussi la table?

Discrète, Anna se retira pour laisser place aux négociations et mit à profit cet intermède pour s'approcher de son futur employeur.

— Hmm..., commença-t-elle, un peu intimidée tout de même.

— Oui?

Le sourcil levé, Mallett dévisagea son interlocutrice. Puis, son regard s'attarda sur le T-shirt à l'araignée, et un sourire moqueur se dessina sur son visage bronzé.

Anna osa tout de même se lancer.

— Je... je me demandais si...

— Oh! s'exclama alors la voix rauque, en s'adressant à Joyce. Qu'est-ce que vous avez là-dedans? Un petit chat?

La future secrétaire idéale se retourna juste à temps

16

pour voir Olivia retirer la boîte des mains de Joyce et la secouer sans ménagement. Le sentiment d'une catastrophe imminente s'empara aussitôt d'elle. Si jamais il prenait l'envie à cette inconsciente de plonger la main dans la boîte pour saisir le petit animal...

Olivia n'essaya même pas de regarder par les trous percés dans le couvercle ; elle souleva carrément ce dernier. Anna ne put retenir un cri.

— Laissez cet animal tranquille !

— Mais j'adore les animaux ! répliqua Olivia tout en se penchant pour découvrir le pensionnaire.

Une exclamation de dégoût lui échappa tandis qu'elle se rejetait violemment en arrière. Ce geste brusque la déséquilibra, l'un de ses hauts talons glissa sur le parquet et le malheureux William se trouva éjecté de son refuge. Après un vol plané impressionnant, il atterrit sur la manche du délicieux tailleur rose où il s'agrippa aussi solidement que possible.

L'exclamation de dégoût avait maintenant laissé place à des cris hystériques qui emplissaient la petite boutique. Avec une vigueur que l'on n'aurait pas soupçonnée chez cette gravure de mode, Olivia secouait son bras dans toutes les directions.

— Oh ! Faites donc attention ! s'exclama Anna en se précipitant vers son protégé.

Mais avant qu'elle ait pu intervenir, William avait été projeté à terre par la blonde furie. Apparemment indemne, il glissa sur le plancher bien ciré jusqu'aux pieds de Mallett, devant lesquels il s'arrêta un instant avant de se remettre à sautiller un peu plus loin.

— Tue-le ! hurlait Olivia. Tue-le tout de suite !

Alors, avec une horreur sans pareille, Anna vit Grant Mallett parcourir la pièce du regard, à la recherche d'une arme. N'en trouvant pas, il se résigna à lever un pied menaçant.

Il n'y avait qu'une chose à faire. Anna n'hésita pas. De toutes ses forces, elle acheva de déséquilibrer l'agresseur en se jetant sur lui, le fit tomber à la renverse, et... se retrouva à cheval sur lui.

Un silence de mort suivit cette escarmouche. Anna n'osait pas bouger. Du coin de l'œil pourtant, elle aperçut Joyce qui, d'un geste habile, ramassait la malheureuse bestiole avec le couvercle et la déposait doucement dans sa boîte. Ouf ! C'était un souci de moins...

Tant bien que mal, la jeune femme se releva tandis que, souplement, Mallett roulait sur le côté avant de se retrouver sur ses pieds, l'air un peu ahuri tout de même. Satisfaite du succès de son intervention, mais gênée malgré tout de cet étrange moyen d'entrer en contact avec son futur patron, Anna ne savait que dire. Pourtant, il n'avait pas l'air fâché. Un peu déconcerté, tout au plus... Voyons, il fallait au plus vite revenir à une situation normale. Mais comment ? Sans réfléchir, elle laissa échapper la première idée qui lui traversa l'esprit.

— Il paraît que vous cherchez une secrétaire ?

Devant l'air abasourdi de son interlocuteur, elle comprit qu'elle n'avait peut-être pas choisi le meilleur moment pour caser sa demande d'emploi... Pourtant, les yeux bleu marine de Grant Mallett la dévisagèrent et, sans plus de manières, il répondit simplement :

— Oui. Comment vous appelez-vous ?

— Anna.

— Anna ! Anna, la femme-araignée, protectrice des animaux... *A priori*, je cherche quelqu'un dont les compétences soient... plus conventionnelles. Au fait, mademoiselle, avez-vous jamais songé à travailler comme garde du corps ? Vous feriez merveille, j'en suis persuadé.

Pendant qu'il déclamait cette tirade inattendue, les yeux de Mallett pétillaient de malice. Bien sûr, il se moquait d'elle, Anna le voyait bien, mais il aurait pu prendre les choses tellement plus mal !

— Non, répondit-elle, trop heureuse de voir la conversation s'engager. Je préfère être secrétaire, et j'ai tous les diplômes nécessaires. Hmm... Excusez-moi pour cette

18

rencontre un peu... brutale, mais j'avais tellement peur que vous blessiez William !

— Eh bien, merci ! claironna la voix aigre d'Olivia. Quelle idée de transporter cette horreur avec vous ! C'est moi qui aurais pu être blessée...

— Impossible, rétorqua Anna du tac au tac. Impossible, parce que William est une tarentule du Mexique, dont la piqûre n'est pas dangereuse. Et en plus, il ne pouvait même pas vous piquer parce qu'il vient de manger et qu'il a sommeil. Par contre, vous auriez pu le tuer si sa carapace s'était brisée...

— La belle affaire ! coupa Olivia.

Anna lui jeta un regard meurtrier auquel l'élégante ne daigna pas attacher la moindre importance. Elle se rapprocha de Mallett et, avec force minauderies, se nicha contre lui.

— Heureusement que tu es là, Grant. J'ai eu une peur horrible !

Joyce eut à cœur de soutenir son amie.

— Anna a tout à fait raison, vous savez. William n'est absolument pas agressif, regardez...

Pour appuyer ses dires, elle sortit délicatement l'objet du litige de sa boîte et le posa dans le creux de sa main. Cette brillante démonstration ne fut pas sans réjouir Anna. En effet, qui aurait prédit, quelques semaines plus tôt, que Joyce serait capable d'accomplir ce geste ? Comme neuf personnes sur dix, elle avait une peur quasi phobique des insectes en général et des araignées en particulier.

Consciente de ce rejet, Anna avait mis à profit son travail chez M. Morisson pour mieux informer le public sur ces animaux. En tant que zoologiste spécialisée en écologie, on lui avait même demandé d'intervenir dans les écoles et, à sa grande satisfaction, Blandings Magna était certainement la ville de Grande-Bretagne où régnaient le moins de préjugés sur les arachnides. Oui, elle pouvait être fière de son travail !

Toujours est-il que le spectacle offert présentement par Olivia commençait à lui taper sur les nerfs... Celle-ci n'en finissait plus de jouer les petites filles apeurées alors qu'elle était rassurée depuis belle lurette. Visiblement, elle profitait de la situation pour se rendre intéressante aux yeux de Grant Mallett qui, évidemment, tombait en plein dans le panneau. Quel idiot! Avec tout cela, ils avaient perdu le fil de leur conversation... Sans plus attendre, Anna décida de revenir à la charge.

— Vous disiez tout à l'heure que vous cherchiez une secrétaire, n'est-ce pas? Je suis sûre que je peux vous dépanner.

Olivia éclata d'un rire méprisant tandis que Mallett répondait avec plus de diplomatie :

— J'ai besoin de quelqu'un qui connaisse bien la terminologie scientifique, et cela ne fait pas partie du bagage d'une simple secrétaire.

— Je vous assure que je connais tout ce vocabulaire. Je... J'ai fait beaucoup de biologie au lycée.

Mieux valait ne pas en dire davantage. Si jamais elle déclinait ses titres, elle ne savait que trop où elle finirait : au milieu des marécages infestés de moustiques !

Toujours suspendue au bras de Mallett, Olivia intervint de nouveau.

— Je crains que vous n'ayez pas le look de l'emploi ! lança-t-elle en jetant un regard dédaigneux sur la tenue d'Anna.

— Oh ! se récria cette dernière. Bien sûr, je m'habillerai différemment pour aller au bureau. Je porterai un tailleur... un tailleur dans le genre du vôtre.

Olivia écarquilla les yeux avant d'éclater d'un petit rire dédaigneux.

— Vous avez bon goût... Karl est un vrai génie. Je vous ferai parvenir une invitation pour son prochain défilé de mode. Vous aurez peut-être le temps de faire un saut à Paris à cette occasion ?

Anna rougit jusqu'à la racine des cheveux. Quelle gaffe monumentale elle venait de commettre !

— Vous savez, je me contenterai de quelque chose de moins cher. Je voulais seulement indiquer le genre que... qui...

— Bien sûr, coupa froidement l'élégante.

Puis, jetant un regard faussement désolé à Joyce, elle ajouta :

— Tout compte fait, je ne pense pas que nous aurons besoin de ces chaises... Tu viens, Grant ?

Devant la mine dépitée d'Anna, ce dernier lui adressa un clin d'œil avant de sortir.

— Allons, courage ! Je suis sûr que vous finirez par trouver un poste qui vous conviendra.

Sur ce, il attrapa Olivia par le bras et le tintement familier de la clochette signala qu'ils venaient de refermer la porte sur eux.

Anna adressa un sourire désolé à son amie.

— Je crois que je viens de te faire manquer une vente...

Joyce haussa les épaules.

— Oui, sûrement, et c'est très bien. Ces chaises sont si jolies que j'aurais eu mal au cœur de les savoir chez cette chipie !

2.

Furieuse d'avoir si mal manœuvré auprès de Grant Mallett, Anna regagna la maison de sa tante à grandes enjambées rageuses. Heureusement, Jake ne serait pas des leurs ce soir ! Elle disposait donc d'un petit répit avant de lui annoncer ce nouveau licenciement. Car elle ne savait que trop ce qui l'attendait, hélas... Avec les trésors de gentillesse et de persuasion dont il regorgeait, son fiancé-collaborateur aurait à cœur de lui prodiguer des encouragements et des conseils qu'elle ne voulait pas entendre. A aucun prix. Parce que tout cela n'avait qu'un but : la ramener d'où elle venait, c'est-à-dire dans un lieu hostile et humide où pullulaient anophèles et cousins. Eh bien, non ! C'était non. Elle avait eu sa dose de recherches sur le terrain, et rien ni personne ne lui ferait revivre ça !

Bien sûr, elle devrait être reconnaissante à Jake de vouloir avec autant d'obstination qu'elle travaille en tant que chercheuse. Tant d'hommes au contraire sont d'horribles machos qui ne rêvent que de cantonner les femmes dans des emplois subalternes ! Jake, lui, prenait autant à cœur la carrière de sa fiancée que la sienne propre. Chaque fois qu'elle avait obtenu une récompense ou un soutien financier, il en avait été aussi heureux qu'elle. Chaque fois qu'elle avait dû conduire une expertise, il y avait collaboré avec enthousiasme, conservant comme des trésors toutes leurs publications, interventions et conférences. Pourtant, il faudrait bien qu'il accepte sa décision de changer de voie. Une vie confortable et tranquille, voilà ce qu'elle désirait désormais. Plus un tailleur rose, bien sûr ! Même s'il ne sortait pas de chez le célèbre Karl...

Autant être lucide : contrairement à Jake, elle ne possédait pas les qualités requises pour faire une carrière scientifique. Il était si raisonnable ! Rien ne le rebutait. Même pas l'ennui du milieu universitaire ou les difficultés du monde du travail. Tous ces inconvénients, il les acceptait calmement, comme le prix à payer pour obtenir une reconnaissance professionnelle, alors qu'Anna, elle, trépignait sans cesse d'impatience. Les démarches à effectuer lui paraissaient ingrates, les délais à respecter interminables et les dossiers à remplir totalement absurdes. Non, c'était vraiment trop lui demander que de subir toutes ces contraintes. Elle n'y avait que trop consenti déjà.

Pourtant, sa première recherche avait été passionnante, et son coup d'essai, un coup de maître puisque son travail lui avait valu une récompense internationale. Hélas, cette médaille avait eu un revers. Cataloguée d'emblée comme spécialiste des insectes vivant dans les marais, Anna s'était retrouvée piégée par sa compétence même et condamnée à passer le plus clair de son temps, bottes en caoutchouc aux pieds, à se faire dévorer par des bataillons de moustiques jamais rassasiés.

Comme tout cela était agaçant ! Elle haussa les épaules, pressa le pas, comme pour échapper à ces idées contrariantes et constata soudain avec horreur qu'elle balançait sans ménagement le cabas dans lequel elle avait dissimulé la boîte de William. Zut et zut ! Pourquoi Jake refusait-il de comprendre qu'elle n'était pas, comme lui, faite pour une carrière scientifique ? Quel bonheur ce serait de le suivre dans l'université où on voudrait bien le titulariser ! N'importe laquelle, pourvu qu'il ait un poste stable. Elle ne ferait pas la fine bouche. Jamais à court d'imagination, elle trouverait toujours une occupation intéressante une fois sur place. Le seul hic, c'est que, à cette heure, Jake n'avait encore reçu aucune proposition...

Peu importe. Il fallait au plus vite lui prouver qu'elle n'avait pas la fibre scientifique. Tant qu'elle n'y aurait pas réussi, il la presserait de rédiger d'autres articles ou, pire encore, de retourner sur le terrain. Non, de cela, il n'était pas question. Absolument pas. Donc, une seule issue s'offrait à elle : retourner voir Grant Mallett, élégamment vêtue, et le persuader qu'elle était la secrétaire idéale. Elle en faisait son affaire !

Sur cette pensée rassurante, elle se glissa subrepticement dans la maison de sa tante par la porte de derrière, monta l'escalier sur la pointe des pieds et, sitôt dans sa chambre, cacha son protégé dans le bas de sa penderie. Bien sûr, elle n'avait pas l'intention de garder William sans en parler à Harriett, mais le sujet étant épineux, mieux valait attendre le moment propice pour l'aborder.

Une fois l'animal bien à l'abri au milieu de ses boîtes à chaussures, elle descendit rejoindre sa tante dans la cuisine et se félicita aussitôt de sa prudence. La brave dame fulminait en épluchant des oignons.

— Ah ! Les hommes ! Ton oncle vient juste de m'annoncer qu'il ramenait un invité à dîner. Tu te rends compte ? Un vendredi soir ! Comme s'il ne savait pas que je fais mon marché de la semaine le samedi matin... Qu'est-ce que je vais lui servir, à cet invité ? Un rôti fantôme ?

Anna sourit.

— Tu as une idée de menu ?

— Il paraît que notre hôte n'est pas difficile, voilà tout ce que je sais !

La jeune femme trouvait la situation plutôt comique mais s'abstint de tout commentaire. Au contraire, arborant un air sérieux, elle se mit en devoir de laver une laitue.

— Au fait, de qui s'agit-il ? demanda-t-elle en préparant la vinaigrette.

— Walter a oublié de me le dire. Je ne suis bonne qu'à faire la cuisine, moi !

Et d'un geste de reine offensée, elle jeta l'oignon émincé dans une poêle où il se mit à grésiller gaiement.

Une heure plus tard, une délicieuse odeur de ratatouille emplissait la cuisine, annonçant que le repas serait à la hauteur de la réputation de la maison. A vrai dire, Anna n'en avait jamais douté, mais tante Harriett avait des façons bien à elle ! Par exemple, Anna se souvint juste à temps qu'elle aimait mettre tranquillement la dernière main à ses plats. Aussi la jeune femme s'esquiva-t-elle dans le salon.

Avisant un magazine de mode posé sur la table basse, elle se mit à le feuilleter. « Ce printemps, le mot d'ordre est à la simplicité », lut-elle. Bon. Voilà qui était rassurant. « Pas de frous-frous, pas de chichis. La coupe sera parfaite, voilà tout. Par exemple, vous choisirez ce fourreau blanc, très près du corps, à porter avec des sandales en chevreau à petits talons. »

Anna jeta un coup d'œil sur son jean délavé, puis revint à la photo. Le mannequin aux formes pulpeuses, perchée sur un tabouret de bar, présentait le fourreau en question, une bagatelle à deux cent vingt livres sterling... D'après la revue, c'était la petite robe idéale, à porter en toutes circonstances. Ah oui, vraiment ? Anna s'imagina un instant ainsi vêtue en plein marais. Les algues et le phytoplancton auraient vite raison de cette blancheur immaculée ! Quant aux ravissantes sandales...

Un bruit de pas résonna dans l'entrée, arrachant la jeune femme à ces déprimantes réflexions, et une voix se fit entendre.

— Oui, elle ne se sentait pas bien. Je suis vraiment désolé !

Anna dressa l'oreille. Cette voix... Elle l'avait déjà entendue quelque part. Où donc ?

Tout à coup, elle sursauta, comme frappée par un électrochoc. Evidemment ! Ah, si elle avait su... A croire que le hasard s'acharnait contre elle ! Pourquoi diable était-elle encore affublée de cet horrible T-shirt ? Vite, elle allait... Zut ! La porte du salon venait de s'ouvrir.

— Anna, je te présente notre invité, Grant Mallett, le fils d'un ami d'enfance, déclarait déjà son oncle. Et voici ma nièce, Anna.

Mallett s'était arrêté dans l'encadrement de la porte, un large sourire moqueur aux lèvres.

— Il me semble que nous avons déjà fait connaissance cet après-midi. Quel plaisir de vous retrouver ce soir, mademoiselle !

Des mots... Parfaitement conventionnels de surcroît. Mais l'étincelle qui pétillait dans le regard bleu marine était bien réelle. Quel homme incroyable ! Malgré toutes les aventures extraordinaires qu'il avait vécues, il paraissait s'amuser de la moindre coïncidence...

— Parfait, répliqua Walter. Puisque le fiancé d'Anna nous fait faux bond lui aussi, vous n'aurez qu'à continuer votre conversation pendant que je vous abandonne pour essayer de calmer Harriett. Anna, n'oublie pas d'offrir l'apéritif...

— Que désirez-vous prendre ? demanda aussitôt la jeune femme sur le ton d'une parfaite maîtresse de maison.

A l'intérieur d'elle-même pourtant, elle bouillonnait. Si au moins elle avait eu le temps de changer de vêtements !

Mallett la dévisageait, toujours souriant.

— Un whisky, s'il vous plaît, répondit-il, très gentleman tout à coup. Je ne savais pas que vous étiez fiancée, ajouta-t-il en s'installant dans un fauteuil et en croisant ses jambes interminables avec un flegme très britannique.

Anna le regarda du coin de l'œil.

— Nous nous sommes vus très peu de temps...

— Très juste. Et qui est l'heureux élu ?

— Il y a une photo de lui sur le bahut, si cela vous intéresse.

Mallett se retourna, regarda la photo où l'on voyait Jake en tenue de soirée, la mine sérieuse, les cheveux soigneusement lissés, et partit d'un grand éclat de rire.

— Non, vous plaisantez ? C'est lui que vous voulez épouser ?

Anna prit un air pincé.

— Jake est un chercheur reconnu. D'ailleurs, en quoi cela vous regarde-t-il ? D'accord, je postule pour un poste de secrétaire, mais je ne vous demande pas votre avis sur ma vie sentimentale.

Encore persuadé qu'elle se payait sa tête, Mallett leva un sourcil perplexe. Puis, voyant que la jeune femme était réellement en colère, il reprit plus doucement :

— Disons que... que votre choix me surprend. Je ne vous connais que depuis quelques heures, mais il me semble que ce fiancé ne fait pas le poids face à votre personnalité, disons... très affirmée. Vous êtes sûre d'ailleurs de vouloir devenir secrétaire ? Pourquoi pas dompteuse de lions ? Cela vous conviendrait beaucoup mieux.

— Et moi, si je n'étais pas aussi bien élevée, je vous demanderais si vous avez vraiment l'intention de finir vos jours auprès d'une poupée sans cervelle...

Le sourire de Mallett devint plus éclatant encore.

— Heureusement, vous êtes bien trop polie pour cela ! D'ailleurs, Olivia cache bien son jeu. Sa personnalité ne se résume pas aux apparences, et c'est pour cela que je mets fin à ma carrière de casse-cou.

Il avala une gorgée de whisky et lança à Anna un regard un peu mélancolique.

— Vous comprenez, je n'ai jamais eu l'occasion de me poser où que ce soit. Il se passe toujours quelque chose qui me jette la tête la première dans l'aventure. Etonnant, n'est-ce pas ? Surtout quand on sait qu'au départ, j'étais allé au Brésil pour faire un doctorat sur la canne à sucre et l'érosion des sols. Mais voilà... Il y a eu cette révolte des paysans contre les grands propriétaires terriens. Je n'allais tout de même pas rester sur la touche ! Finalement, on m'a expulsé du pays.

Anna n'apprenait rien, mais il était fascinant d'entendre ce récit de la bouche même du héros. Ce dernier continua :

— Compréhensif, mon directeur de thèse m'a donné

une seconde chance en m'envoyant en Malaisie. Hélas, à quelque chose près, la même histoire s'est répétée. Et, les mêmes causes produisant les mêmes effets, le pauvre homme n'a plus cru à ma recherche. Je me suis donc reconverti dans l'action. Cela m'a d'ailleurs apporté d'immenses satisfactions, plus un pécule non négligeable que j'ai décidé d'investir dans ce parc scientifique. C'est important de donner leur chance à de jeunes chercheurs, vous ne trouvez pas ?

— Humm..., fit Anna qui ne désirait pas prendre de risques.

Mallett hocha la tête.

— Une chose me laisse rêveur cependant. C'est le talent que certains possèdent pour éviter les ennuis tout en travaillant pour le bienfait de l'humanité. Tenez, par exemple, l'homme que j'admire le plus au monde est quelqu'un dont personne n'a jamais entendu parler... A.K.V. Hawkins, cela vous dit quelque chose ?

Anna ne broncha pas, et Mallett reprit sans attendre.

— C'est un type formidable. Pas un héros, non ! Mais il a à son actif une somme importante de recherches en écologie. Impossible de l'ignorer si l'on s'intéresse à ce domaine. Voilà quelqu'un que j'aimerais bien rencontrer...

Anna, Katherine, Victoria Hawkins ouvrit la bouche. Puis la referma. Très vite. Car si elle avouait à Grant Mallett qu'il se trouvait en face de « l'homme » de ses rêves, qu'allait-il se passer ? C'était couru d'avance ! Quelque part, il connaîtrait un marais où il l'enverrait de toute urgence... Et elle se retrouverait à la case départ.

Lentement, elle avala sa salive.

— Vous avez raison, je n'ai jamais entendu parler de ce monsieur.

Dans le fond, ce n'était même pas un mensonge !

Au moment où Mallett s'apprêtait à donner davantage de détails sur ce personnage, Harriett et Walter annoncèrent que le dîner était servi. « Ouf ! se dit Anna. Sauvée ! »

Une fois à table, la conversation s'orienta très vite sur le parc scientifique et la jeune femme écoutait avec un intérêt grandissant. Quel projet sensationnel ! Mallett débordait d'idées époustouflantes, et Anna rongeait son frein pour ne pas intervenir dans la conversation. Pourtant, qui mieux qu'elle-même serait capable d'assurer le suivi de ce programme pendant les fréquents séjours de Mallett à Londres ?

A la fin du repas cependant, Walter ne résista plus à la curiosité qui le dévorait. Sans la moindre pitié envers son invité, il se mit à le bombarder de questions sur ses diverses aventures aux quatre coins du monde. Quelle gentillesse inattendue chez ce baroudeur ! Avec l'amabilité la plus extrême, il se mit à répondre aux questions du vieux monsieur, comme si c'était la chose la plus importante du monde.

L'auditoire écoutait, bouche bée. Une exclamation admirative échappait de temps à autre à Walter. Anna était passionnée. Que de détails n'avaient pas été révélés à la presse ! Mais tout ce qu'elle entendait ne faisait que confirmer son impression première : cet homme n'était pas de tout repos, et mieux valait garder ses distances !

Comme elle en arrivait à cette conclusion, Walter se racla la gorge.

— Ma nièce aussi a déjà eu une carrière intéressante...

Anna sentit une coulée de sueur froide dégouliner le long de son dos. Son secret allait être trahi ! C'en était fait de sa tranquillité... Heureusement, Mallett partit sur une fausse piste.

— Je n'en doute pas. Quelle idée originale de se promener avec une authentique tarentule mexicaine en guise d'animal de compagnie ! Figurez-vous que j'ai fait la connaissance de William cet après-midi...

Un silence glacé s'abattit sur les convives.

— William ? demanda Harriett sur un ton de panique.

— C'est-à-dire que..., bredouilla Anna.

— J'imagine que tu l'amenais chez quelqu'un ?

30

— C'est-à-dire...

— Dois-je comprendre que cet horrible animal se trouve quelque part dans *ma* maison?

— J'avais l'intention de te demander si...

— Non! Je ne veux aucun de tes protégés chez moi.

— Mais c'est juste en attendant que...

— Non! Sous aucun prétexte. D'ailleurs, Jake sera tout à fait d'accord avec moi. Dieu sait ce qu'il dira quand il saura que...

Le regard plein d'innocence et de bonne volonté, Mallett intervint.

— Si Jake n'est pas d'accord, il est évidemment hors de question que vous laissiez William ici. Pourquoi ne pas l'installer chez moi, à Arrowmead?

Anna se redressa, l'air soupçonneux.

— Et qui me garantit que vous n'allez pas le maltraiter?

— Oh, mais il n'est pas question que je le prenne en charge! C'est vous qui viendrez le nourrir. A moins bien sûr que votre fiancé ne fasse objection à cela...

Anna serra les dents, vexée de cette insinuation.

— Jake n'y trouvera rien à redire. Tout au moins, quand je lui aurai expliqué la situation...

Soudain, elle s'arrêta net, émerveillée de l'idée qui venait de lui traverser l'esprit. Après tout, ce n'est pas elle qui l'avait suggérée, mais autant profiter de la proposition de Mallett. Elle ne se renouvellerait peut-être pas. Prenant son courage à deux mains, elle lança avec le plus grand naturel:

— Si je dois venir régulièrement à Arrowmead, autant que vous me preniez comme secrétaire...

— Secrétaire! s'exclama Harriett en manquant s'étouffer. Mais ma pauvre enfant, que va dire Jake?

Cette fois, une lueur carrément diabolique s'alluma dans le regard bleu marine.

— Oh, quel dommage! s'exclama Grant Mallett. J'étais justement en train de me dire qu'Anna serait parfaite dans ce rôle...

3.

— Comment avez-vous osé? demandait Anna, exaspérée.

Debout à côté de la Jaguar, la boîte de William à la main, elle fusillait Grant Mallett du regard. Grant Mallett, son futur employeur.

— Osé quoi? rétorqua innocemment l'accusé. Osé reprendre de la tarte aux fraises, ou osé vous séparer de votre animal favori?

— Allons, vous savez très bien ce que je veux dire! Comment avez-vous osé parler ainsi de mon fiancé? Vous ne le connaissez même pas?

Une lueur taquine dansait dans les yeux de son interlocuteur.

— Mais je n'ai rien dit! C'est votre tante qui a insinué que Jake n'appréciait pas William...

— Et pourquoi avez-vous décidé de m'embaucher au moment précis où vous avez compris que cela le contrarierait?

— Votre imagination vous emporte, Anna! Il se trouve que j'ai un besoin urgent d'une secrétaire. Vous jurez vos grands dieux qu'il n'y a pas plus compétente que vous, et quand je vous embauche, vous n'êtes pas contente! Avouez qu'il y a de quoi perdre son latin!

— Mais...

— La vérité, c'est que vous avez réussi à me convaincre. Bien sûr, si votre fiancé trouve cela contrariant, je me permettrai de juger sa réaction un peu... démodée, mais c'est une affaire entre vous deux. Je me garderai bien d'intervenir.

— Parfait, conclut sèchement Anna. Alors n'en parlons plus. J'espère que vous prendrez bien soin de William.

— N'ayez crainte, répondit Mallett en prenant la boîte qu'elle lui tendait. D'ailleurs, dès que vous aurez commencé votre travail, vous pourrez le prendre dans votre bureau. Il se sentira moins seul...

Anna choisit de ne pas relever et demanda d'un ton très professionnel :

— Quand souhaitez-vous que je commence ?

— Le plus tôt sera le mieux. Que pensez-vous de lundi ? Cela ne vous bouscule pas trop ?

— Pas du tout, cela me convient très bien.

— Au fait...

Mais, comme à court de mots, Grant Mallett ne continua pas sa phrase. Après un instant de silence gêné, il posa la boîte où était enfermé William sur le toit de sa voiture et fouilla dans sa poche.

— Ecoutez, Anna, ne vous froissez pas, mais... Comme je suis encore en train de chercher des financements pour le parc scientifique, la présentation de mes collaborateurs revêt une grande importance. Aussi, je vous conseille d'investir dans une belle garde-robe. Voici de quoi effectuer quelques achats dans les boutiques de Blandings Magna, même si vous ne devez pas y trouver les merveilles du grand Karl...

Sur ce, il glissa vivement une liasse de billets de banque dans la main de la jeune femme. Puis, avant qu'elle ait pu émettre la moindre protestation, il reprit la boîte, s'installa au volant et démarra en trombe.

Médusée, Anna réalisa qu'elle tenait dans la main une petite fortune.

**

34

Le jour même, Anna, pleine de scrupules et prisonnière de ses habitudes, ne parvint pas à dilapider la somme que lui avait allouée son nouveau patron. Mais dès le lendemain, une idée avait germé dans son esprit. Une fois cet argent dépensé, il ne lui serait plus possible de faire machine arrière. Même si Jake était furieux, il lui faudrait bien honorer sa parole et prendre cet emploi. Car dès qu'il serait au courant, son fiancé lui demanderait de renoncer, elle en était sûre.

Elle décida de passer la journée du samedi à Canterbury, où on ne la connaissait pas, et où elle pourrait donc faire son choix plus librement. Jusqu'à ce jour, ses plus grandes folies avaient consisté à acheter des jeans, des T-shirts et des pulls à col roulé qui lui duraient des années. Cette fois, elle se lança dans une débauche de jupes classiques, chemisiers de soie et gilets de cachemire. Plus un adorable petit tailleur de lainage rose pâle, qui mettait en valeur ses yeux noisette et ses cheveux auburn. Certes, elle n'avait pas encore le look de Claudia Schiffer, mais, il fallait bien se l'avouer, l'ensemble était assez réussi. Même sa coiffure à la garçonne prenait une allure sexy avec ces beaux vêtements. Un peu style Caroline de Monaco, dernière version... Après tout, il y avait pire !

C'est donc avec un sourire satisfait qu'elle régla la note qui lui parut astronomique. En fait, il lui restait encore assez pour acheter des escarpins, des chaussures à talons hauts et une superbe paire de bottes de cuir fauve. Elle exultait. Adieu les cirés bretons, les baskets bon marché, adieu la vie d'avant... Et vive Mlle Anna Hawkins, secrétaire à Arrowmead.

Jake ne remarquait jamais la façon dont elle était habillée. Même dans les occasions exceptionnelles, lorsqu'elle faisait des frais de toilette pour une soirée de gala, la seule chose qui l'intéressait était le travail. Entre deux coupes de champagne, il passait son temps à essayer de repérer une personne susceptible de l'aider dans sa carrière. Anna pensait que tous les hommes se comportaient de même. Aussi ne s'attendait-elle absolument pas à la réaction de son employeur lorsqu'elle entra dans son bureau, le lundi matin.

Il lui avait d'abord fallu se repérer dans le dédale de couloirs pleins de sacs de plâtre et la multitude de bureaux au mobilier recouvert de housses, avant de pénétrer dans la pièce où Grant feuilletait des brochures en buvant son café. En l'entendant arriver, il avait abandonné sa lecture et, se cramponnant au rebord de la table pour la faire rire, avait poussé un cri d'admiration.

— Pas possible ! Je dois rêver... Ai-je bien affaire à la jeune personne que j'ai engagée vendredi dernier ? Il y a probablement erreur !

Anna sourit modestement. Elle étrennait le deux-pièces élégant qu'elle avait acheté, entre autres merveilles, dans la boutique la plus chic de Canterbury. Jupe courte, mais pas trop, chemisier ajusté, juste ce qu'il fallait, talons hauts, mais compatibles avec l'excercice de ses fonctions. Bien décidée à jouer le grand jeu, elle s'était légèrement maquillée, ce que la chasse aux moustiques ne lui permettait guère habituellement, et avait bien dû s'avouer qu'un soupçon de fond de teint, une touche de rouge à lèvres et un rien de mascara sur les cils la métamorphosaient totalement. Sa coiffure un peu trop courte apparaissait maintenant comme un signe de sophistication. Donc, comme un atout de plus.

Mallett la considérait toujours d'un air incrédule.

— Promettez-moi une chose, demanda-t-il d'un air sérieux.

Anna sentit sa belle assurance se transformer en inquiétude.

— Quoi donc ?

— De ne plus jamais, jamais, porter de jeans. C'est un crime de cacher des jambes pareilles !

— Tiens ! répliqua Anna avec une pointe d'insolence, je vous croyais fiancé.

— À juste titre. Mais figurez-vous que je suis très sensible à l'esthétique et que cet engagement, fort heureusement, n'affecte aucunement ma capacité à apprécier la beauté sous toutes ses formes.

Il parcourut la pièce du regard avant de poursuivre :

— Bien sûr, l'état dans lequel se trouve ce bureau ne permet guère de s'en douter, j'en conviens... Mais ce n'est que temporaire, et c'est pour cela que j'apprécie que vous puissiez commencer aujourd'hui.

Anna jeta un coup d'œil autour d'elle. La pièce était un véritable chantier. Une abomination. Des tas de dossiers s'amoncelaient sur les chaises, des classeurs empilés à la diable ici et là attendaient d'être disposés sur les étagères, le téléphone était posé à même le sol. Sans être obsédée par l'ordre, il y avait de quoi s'inquiéter !

Mais, impitoyable, Grant continuait :

— Et si vous êtes assez courageuse pour ranger la montagne de documents qui se trouve derrière vous, vous découvrirez dessous un bureau qui vous est destiné. Dans la pièce voisine, un fax et un ordinateur sont à votre disposition. Nous serons prochainement reliés à Internet, mais nous avons pour l'instant quelques problèmes de connexion.

— Oh, je pense que je peux arranger cela !

— Vous croyez ? J'attends l'installateur qu'Olivia a choisi. Mais si vous pouvez vous débrouiller sans lui, je ne vous en voudrai pas, loin de là...

Il se détourna un instant d'Anna pour saisir une brochure posée sur la table derrière lui.

— Regardez. C'est notre projet. Il se divise en deux parties. D'abord, les salles destinées aux colloques. J'ai obtenu toutes les autorisations nécessaires pour pouvoir utiliser ce bâtiment à cet effet. Actuellement, nous nous dépêchons d'en terminer l'aménagement car, dès que nous pourrons le louer, cela nous aidera à rentrer dans nos frais.

Anna considéra le document avec une certaine admiration. L'ensemble paraissait bien pensé.

Grant tourna la page.

— En ce qui concerne le parc scientifique lui-même, les choses iront moins vite. Les autorisations sont plus longues à obtenir car c'est une réalisation de grande envergure qui aura immanquablement des retombées sur la région. J'espère que tout ira bien, car c'est cette partie du projet qui me tient le plus à cœur. Je rêve d'accueillir ici toutes sortes de jeunes chercheurs et de faire de ce centre un creuset de créativité, un lieu d'échange et de partage. A vrai dire, l'organisation de colloques me passionne beaucoup moins. C'est une idée d'Olivia.

Anna sentit son sourire d'encouragement se figer sur ses lèvres.

— Vraiment?

— Oui. En fait, je suis sûr qu'elle a raison, du point de vue de nos finances, de vouloir attirer ici des gens reconnus. Mais dans un premier temps, cela occasionnera beaucoup de frais. A-t-on vraiment besoin de tant de luxe pour échanger des idées? Je n'ai jamais été aussi créatif qu'entouré d'une bande de copains, autour d'une bonne pizza... Mais on ne peut pas dire que ce sera le genre de la maison, ajouta-t-il avec un soupir.

D'un air désabusé, il désigna du regard quelques luxueux catalogues de matériel de bureau qui traînaient à ses pieds, tandis qu'Anna le dévisageait avec une curiosité qu'il finit par remarquer.

— Vous voulez me dire quelque chose?

— Eh bien... Vous ne correspondez pas du tout à l'idée que je me fais d'un homme riche, laissa-t-elle échapper d'un trait.

Comme c'était étrange... Elle se sentait libre de dire à Grant tout ce qu'elle pensait. Jamais cela ne lui était arrivé avec Jake. Au contraire, elle pesait soigneusement ses mots chaque fois qu'elle lui parlait. Pour ménager sa susceptibilité, sans doute...

— Ah! répliqua Grant, amusé. Je ne vous parais pas crédible parce que je n'attache pas beaucoup d'importance aux gadgets dernier cri?

Anna secoua la tête.

— Non. Mais je vous imaginais très organisé, très soucieux d'efficacité. Au lieu de bavarder avec moi comme vous le faites, vous devriez être en train d'évaluer mes compétences. Vous ne savez même pas si je sais taper à la machine!

— C'est un reproche que vous me faites?

L'air faussement inquiet, il lui lança un de ces sourires assassins dont il avait le secret.

Comment diable Olivia pouvait-elle rester de marbre quand il jouait cette carte-là? C'est pourtant ce dont Anna avait été témoin chez Joyce. Malgré tous ses efforts, elle se sentit rougir jusqu'aux oreilles.

Conscient du trouble dans lequel il avait plongé son interlocutrice, Grant Mallett reprit d'une voix enjouée:

— Désolé de vous décevoir! Il est vrai que dans ma vie, je laisse toujours un peu de place au hasard. Une façon comme une autre de mettre un peu de piment dans l'existence, n'est-ce pas?

Devant la mine surprise d'Anna, il continua:

— Voyez, mon expérience m'a appris un certain nombre de choses. D'abord, qu'un test ne révèle jamais que la capacité du candidat à le réussir. Des gens à la personnalité remarquable sont parfois écartés avant d'avoir eu la moindre chance de faire leurs preuves. A mes yeux, ce qui compte le plus, c'est la motivation. La compétence est importante aussi, bien sûr, mais elle n'est que secondaire.

Il déplaça une pile de revues et s'installa sur la table, cédant son fauteuil à Anna, avant de poursuivre:

— Vous avez fait vos preuves sans le savoir. D'abord, vous avez su insister pour avoir ce poste. Ensuite, vous l'avez accepté alors que tout laisse à penser que votre fiancé n'appréciera pas votre initiative. Enfin, vous avez réussi un tour de force assez original en permettant à votre amie de surmonter sa phobie des araignées. J'ai déduit de tout cela que, lorsqu'un but vous tient à cœur, vous vous donnez les moyens de l'atteindre. Bien sûr, ce n'est qu'une intuition, mais, en général, mes intuitions sont bonnes.

Anna se mordit la langue pour ne pas demander s'il était aussi sûr de lui à propos d'Olivia. Sans doute cette dernière avait-elle aussi su faire preuve d'obstination pour obtenir ce qu'elle voulait : devenir Mme Grant Mallett. Tout de même, elle paraissait si superficielle et maniérée...

Redressant la tête, Anna déclara avec entrain :

— Je tâcherai de mériter la confiance que vous m'accordez.

Mallett éclata d'un rire inattendu.

— Mais c'est déjà fait ! Votre présentation mérite vingt sur vingt. Quel atout pour mon entreprise ! Et je n'ai aucune inquiétude en ce qui concerne votre compétence en dactylographie. Jamais vous n'auriez postulé sans un minimum de connaissances dans ce domaine. Etant donné ce que vous aurez à faire ici, cela suffira largement.

— Et si je ne vous donne pas satisfaction ? hasarda Anna, curieuse d'entendre la réponse.

— Alors vous découvrirez mon côté méthodique et organisé, car je me verrai dans l'obligation de vous donner votre congé pour engager quelqu'un d'autre. J'en suis très capable, vous savez. Mais même si cette éventualité se produit, cette mésaventure m'aura coûté moins cher que de passer par une agence de recrutement. Ces gens-là auraient été bien incapables de miser sur le potentiel enfoui chez une dompteuse d'araignées !

Anna ne put s'empêcher de lui adresser un sourire. Auquel il répondit par un geste impuissant en direction du catalogue ouvert à côté de lui.

— Voilà, vous connaissez le secret de ma réussite, mais je vais maintenant vous avouer mon point faible :

j'éprouve une aversion viscérale et insurmontable pour tout ce qui est mobilier, et en particulier, mobilier de bureau. Tous vos conseils seront les bienvenus !

Anna hésita un instant, puis se leva et vint s'asseoir à côté de lui sur le bureau pour feuilleter le catalogue. Tout à coup, sa jambe gainée de Lycra soyeux se déplia devant elle, et sa jupe lui parut singulièrement courte... Grant Mallett était tout proche d'elle, bien trop proche. Leurs genoux se touchaient presque. La mâchoire bien dessinée de Grant, ses cheveux blond cendré coupés court se trouvaient tout près de la joue de la jeune femme. Mon Dieu, que c'était difficile de se concentrer !

Grant perçut le malaise de sa collaboratrice.

— Quelque chose ne va pas ?

— Non...non. Tout va très bien, répondit-elle hâtivement.

Un peu trop hâtivement peut-être.

Les yeux de Mallett se posèrent de nouveau sur le catalogue.

— Décidément, tout cela me paraît complètement inutile. Vous vous y connaissez en colloques, vous ?

Il allongea le bras pour tourner une page du catalogue et effleura involontairement la main d'Anna. Ce geste la troubla si vivement qu'elle en oublia combien il était dangereux pour elle d'étaler ses connaissances.

— Oh, oui ! J'en ai une grande habitude, et je peux vous garantir qu'il n'est pas nécessaire que vous vous tracassiez au sujet de tout le matériel qu'on vous présente ici. Bien sûr, il en faut un minimum, sans cela, vous n'auriez pas l'air crédible, mais c'est loin d'être l'essentiel.

Elle parlait à toute vitesse, désireuse d'oublier qu'il se tenait si proche d'elle, et elle disait sans réfléchir tout ce qui lui passait par la tête.

— Vous devez vous persuader d'une chose, reprit-elle, c'est que les communications faites par les uns et les autres ne constituent pas le point capital du colloque.

Elles ne sont qu'un prétexte. Les ténors de l'actualité scientifique vous donneront quelque chose qu'ils auront rédigé à toute allure entre deux avions — pourquoi perdre du temps à préparer un simple colloque ? — et les gens de moindre envergure vous soumettront un rapport bricolé à plusieurs, histoire de pouvoir allonger la liste de leurs publications.

— Ce que vous pouvez être cynique ! C'est votre fréquentation des tarentules qui vous rend aussi pessimiste ? A vous entendre, je ferais mieux de transformer mon parc scientifique en parc d'attractions !

Anna secoua la tête en riant.

— Non, vous allez trop vite en besogne. Je n'ai pas dit que les colloques étaient inutiles. En fait, ils sont intéressants dans la mesure où ils fournissent aux gens l'occasion de discuter entre eux de façon informelle, un peu comme vous l'avez fait avec vos amis autour d'une pizza. Seulement, vous imaginez bien qu'aucune société digne de ce nom n'accepte de payer un billet d'avion à son collaborateur pour qu'il aille au bout du monde manger une pizza ! Alors que tout le monde trouve normal de prendre en charge les frais de séjour de quelqu'un qui va assister à une conférence. Et une fois que vous avez rassemblé tout ce beau monde, il arrive parfois, avec un peu de chance, qu'une étincelle jaillisse...

Grant Mallett écoutait Anna avec une attention de néophyte, et c'est avec un air admiratif qu'il la regarda écarter le catalogue avant de continuer.

— Bien sûr, beaucoup de gens ne sont là que pour la promotion de leur carrière, mais on ne sait jamais d'où les idées nouvelles peuvent surgir. Aussi, le plus important dans un colloque, c'est d'offrir aux participants des occasions de discuter entre eux. Laissez le bar ouvert aussi tard que possible, prévoyez des recoins où les gens pourront prendre le café ensemble, favorisez les rencontres informelles... Je vous assure que personne ne se souciera de compter le nombre de vos rétroprojecteurs !

Elle en était là de son discours lorsqu'elle réalisa que Grant la regardait d'un air intrigué.

— Vous me paraissez très compétente en la matière ! Voyez, j'avais raison de vous faire confiance !

Anna rougit, très gênée de s'être ainsi livrée. Comment rattraper sa maladresse ? Car c'en était une, et de taille !

— C'est que... J'ai vécu dans une ville universitaire pendant des années, expliqua-t-elle, et j'ai souvent aidé pendant des colloques.

Ce qu'elle se garda bien d'ajouter, c'est que c'est en qualité d'intervenante qu'elle participait à ces rencontres scientifiques et qu'elle y prononçait des conférences très attendues de ses pairs.

Grant se détendit.

— Je vois. Vous connaissez cette affaire de près. Figurez-vous que j'ai voulu une fois assister à un colloque où devait parler ce professeur Hawkins, que j'admire tant. Il devait faire part de ses observations sur les insectes de la pampa argentine. Hélas, j'ai eu un empêchement de dernière minute... Mais malgré tout ce que vous venez de me dire, je refuse de croire que quelqu'un de son envergure ait bâclé sa communication, tout cela pour obtenir un billet d'avion !

Fort heureusement, la sonnerie du téléphone vint dispenser Anna d'inventer une repartie acceptable. Agenouillé par terre, Grant Mallett décrocha et répondit aussi solennellement que s'il avait trôné derrière un imposant bureau de marbre et de verre.

— Oui, vous êtes bien à Arrowmead, déclarait-il très sérieusement. Oh... oui, elle est ici, effectivement !

Il tendit le récepteur à Anna.

— C'est pour vous.

Anna saisit l'appareil et, aussitôt, son visage rosit de plaisir.

— Jake ! Tu vas bien ?

Avant de s'éloigner, Grant lui souffla :

— Dites-lui que s'il essaie de vous faire quitter votre emploi, il aura affaire à moi !

Anna fronça les sourcils.

— Non, ce n'est rien... Il y a du monde dans le bureau. Oui... non... C'est vrai, c'est décidé... Ecoute, ce n'est pas le moment d'en discuter.

Mais Jake ne renonça pas et Anna dut écouter la suite.

— Ecoute, Anna, tu as reçu une lettre importante de l'entreprise Bell. Ils te demandent de faire une étude d'impact environnemental. Cela nous ouvre des perspectives sensationnelles !

— Tu as ouvert la lettre ?

— Bien sûr ! Au cas où ça aurait été important. D'ailleurs, c'est important. Il n'y a pas un moment à perdre pour leur envoyer ta réponse.

— Mais, Jake, cela ne m'intéresse pas, protesta Anna.

Jake essaya un moment de la convaincre. En vain. Au bout d'un moment, il émit une suggestion.

— Ecoute, si tu refuses ce travail, je vais essayer de l'obtenir. Le mieux serait que nous nous rendions ensemble à Londres, que tu leur dises de vive voix que tu déclines leur offre, mais que je suis tout à fait compétent pour te remplacer.

Anna hésitait. En fait, Jake n'était pas très bon sur le terrain. Serait-il capable d'effectuer ce travail tout seul ? Elle en doutait un peu... Pourtant, pourquoi ne pas appliquer la tactique de Grant ? Après tout, Jake était incontestablement motivé pour accomplir cette tâche.

— Bon, d'accord, dit-elle enfin. Quand veux-tu te rendre à Londres ?

— Ils t'ont donné rendez-vous la semaine prochaine.

— Je vais voir si je peux me libérer, dit-elle à contre-cœur.

Grant la regardait, sans savoir de quoi il retournait.

— Je vous interdis de m'annoncer votre démission ! lança-t-il en riant.

— Rassurez-vous. Il s'agit seulement de vous demander un jour de congé pour me rendre à Londres mercredi prochain.

Grant eut un sourire inattendu.

— Parfait ! Comme je dois également m'y rendre ce jour-là, nous ferons le trajet ensemble. De cette manière, je suis sûr que vous reviendrez à Arrowmead !

4.

Pendant les journées qui précédèrent son rendez-vous à Londres, Anna n'eut pas une minute à elle. Mettre un peu d'ordre dans le bureau de Grant Mallett relevait de l'exploit ! Heureusement, dans ce domaine comme dans les autres, elle sut faire preuve d'une obstination à toute épreuve. Elle commença par mettre au point un système de classification des dossiers qui s'avéra immédiatement opérationnel. Cela lui permit de rédiger un texte de présentation du centre d'Arrowmead qu'elle adressa aux partenaires intéressés par l'organisation de colloques. Puis, à force de se démener au téléphone, elle réussit à obtenir le rattachement d'Arrowmead à Internet et à en relier les ordinateurs au bureau de Londres. Mais le meilleur moment de ces journées bien remplies était celui qu'elle passait, après son travail, à discuter avec son employeur dont la personnalité hors du commun s'alliait à beaucoup d'humour et de curiosité d'esprit.

Très tôt, Grant avait renoncé à une carrière scientifique classique. Mais son esprit toujours en éveil se passionnait pour les sujets les plus variés. La salle d'accueil d'Arrowmead fut rapidement envahie de différentes publications soi-disant mises à la disposition des visiteurs, mais qu'il était bien le seul, à part Anna, à consulter. Lecteur impénitent, il était incapable de mettre le pied dans une librairie sans en ressortir avec plusieurs ouvrages qui « paraissaient intéressants ». C'était la formule consacrée, qu'il arborait comme un étendard, chaque fois qu'il revenait les bras chargés de son encombrante moisson. Les livres s'empilaient, gagnant du terrain au fil des jours, et Anna pressentait que, d'ici peu, malgré tous les efforts de rangement qu'elle déployait, le bureau serait définitivement envahi. Mais après tout, quelle importance, puisque le principal intéressé s'accommodait de cette étrange organisation avec tant de bonne humeur ?

En outre, il encourageait vivement Anna à emprunter tout ce qui la tentait, et, aussi curieuse que lui, elle ne s'en privait pas. Très vite, ils prirent l'habitude de parler longuement de leurs lectures, discussions auxquelles ils prenaient l'un et l'autre beaucoup de plaisir.

Bien sûr, rien de tout cela ne se passait pendant les heures de travail. Mais en fin de journée, lorsque Anna s'apprêtait à partir, il se mettait à la questionner sur ses lectures récentes, ce qui les amenait immanquablement à passer une ou deux heures ensemble.

Parfois, leurs estomacs les rappelant à la réalité, il invitait la jeune femme à dîner dans un petit restaurant campagnard. D'autres fois, ils partageaient tout simplement une boîte de petits pois et des œufs sur le plat dans le grand appartement vide et blanc qu'il devait occuper plus tard avec Olivia. En attendant qu'il fût aménagé, cette dernière avait préféré rester à Londres, mais Grant y campait avec bonheur.

Il y avait des années qu'Anna ne s'était autant amusée. La vivacité d'esprit de Grant était confondante. Il avait le chic pour repérer le point original dans un article, et discuter avec lui revenait à faire une cure d'intelligence.

A certains moments pourtant, un vague sentiment de culpabilité s'emparait de la jeune femme. Depuis quand n'avait-elle pas discuté ainsi avec Jake ? Il est vrai que les sujets de conversation préférés de son fiancé ne variaient guère. Il s'agissait toujours de savoir qui venait d'être titularisé, qui allait être titularisé, qui pouvait être titularisé... Bien sûr, le côté pratique de l'existence n'était pas à négliger, mais comme c'était rafraîchissant d'aborder pour eux-mêmes les sujets de la recherche contemporaine !

D'ailleurs, pour être parfaitement honnête, Anna devait reconnaître qu'un plaisir moins scientifique pimentait de son charme ces interminables discussions. Jamais en effet elle n'avait eu l'occasion de fréquenter un aussi beau spécimen masculin. Les efforts qu'elle faisait pour s'expliquer cette évidence comme un fait relevant de la pure observation scientifique l'amusaient. Il n'empêche... Elle n'en demeurait pas moins extrêmement troublée.

D'ailleurs, comment aurait-elle pu se dissimuler le plaisir qu'elle éprouvait chaque matin à être accueillie par un compliment ? Les moustiques ne l'avaient pas habituée à autant de civilité, les seules marques d'intérêt qu'ils savaient lui porter étant... très irritantes.

Heureusement, une pensée la rassurait. Fiancés l'un et l'autre, ni Grant, ni elle-même n'étaient en quête d'aventure sentimentale. Aussi, bien à l'abri de toute divagation amoureuse, ne l'en écoutait-elle qu'avec plus de plaisir, surtout lorsqu'il se lançait dans le récit d'une de ses nombreuses aventures. C'était souvent à faire se dresser les cheveux sur la tête !

Olivia était-elle informée de la complicité qui se nouait entre Grant et sa secrétaire ? Anna n'aurait su le dire. Sans doute se savait-elle si belle qu'elle ne redoutait aucune concurrence...

Toujours est-il que, même si parfois Anna sentait les battements de son cœur s'accélérer, elle ne recherchait pas ce genre d'émotions, mais privilégiait sa tranquillité avant tout ! Rien n'était plus précieux à ses yeux. La jeune femme ne cherchait donc pas à susciter les occasions où le trouble était susceptible de s'installer, mais elle bénissait le ciel de lui avoir accordé un employeur aussi agréable, aussi stimulant, aussi courtois. Elle avait vraiment déniché l'emploi de ses rêves, et chaque jour qui passait lui donnait de nouvelles raisons de refuser l'expertise qu'on lui proposait.

La veille même de cette interview fatidique, Grant pénétra dans son bureau en fin de journée, un livre sur la médecine naturelle à la main. Le sujet le passionnait, et pendant une bonne heure, ils eurent une discussion très animée sur les avantages et les inconvénients d'une telle approche du corps. Tout à coup, Grant découvrit qu'il mourait de faim, et sans plus de manières, il proposa à Anna de dîner à la campagne. La jeune femme était devenue coutumière de ces invitations impromptues et avait prié sa tante de ne jamais l'attendre pour dîner.

Ce soir-là, Grant dédaigna les petites auberges qu'ils fréquentaient habituellement et invita Anna dans un restaurant très chic, réputé pour sa cuisine. C'est donc à la lueur des chandelles, autour d'un plateau d'huîtres et d'une bouteille de bordeaux blanc qu'ils poursuivirent leur conversation. Toute la journée, la jeune femme avait pensé à son entretien du lendemain avec une contrariété grandissante. Maintenant, confortablement installée devant cette belle table, elle décida, en contemplant le sourire de Grant, de profiter du moment présent, sans penser à ses soucis à venir.

Lorsqu'elle eut pris cette sage décision, elle jeta un coup d'œil à l'autre bout de la salle et aperçut Olivia qui dînait en compagnie d'un groupe de personnes assez âgées et extrêmement élégantes.

Le regard de Grant suivit le sien. Un instant, Anna se demanda si le fait d'être vu en train de dîner en tête à tête avec sa secrétaire ne risquait pas de le mettre dans une situation délicate...

— Oh, non..., maugréa-t-il. Vous voyez ce que je vois ?

— Olivia ?

— Oui. Mais comme si cela ne suffisait pas, elle est accompagnée de ses parents, et, pour couronner le tout, d'amis de ses parents. Impossible de faire comme si nous ne les avions pas vus ! Allons les saluer.

Sur ces mots, il se leva et, escorté d'Anna, s'avança jusqu'à la table où il fit les présentations sur un ton enjoué qui sonnait un peu faux.

— Olivia, tu te souviens d'Anna?

Olivia écarquilla les yeux. De toute évidence, elle n'avait pas reconnu dans cette élégante jeune femme soigneusement maquillée la gamine débraillée qui courait après les araignées...

— Bien sûr, répondit-elle pourtant. Et toi, Grant, tu te rappelles Rupert?

— Tout à fait.

Il se tourna en souriant poliment vers l'homme distingué aux cheveux argentés assis à la droite d'Olivia.

— Anna, je vous présente Rupert Matheson, le P.-D.G. de Glomac. Monsieur Matheson, voici Anna, ma secrétaire.

— Enchanté, répondit Matheson en tendant une main très soignée à la jeune femme. Vous prendrez bien quelque chose avec nous...

Et avant que Grant ait pu invoquer une excuse quelconque, il avait avancé une chaise pour Anna. Grant ne put faire autrement que de s'asseoir lui aussi, tandis que Matheson paraissait s'amuser beaucoup du malaise que ce dernier cachait si mal.

— Comment se passe votre collecte de fonds pour le parc? s'enquit-il avec une amabilité qui parut un peu mielleuse à Anna.

— Pas trop mal, répliqua Grant d'un ton brusque.

— C'est souvent difficile de réussir dans le cas de petites opérations comme la vôtre, poursuivit Matheson.

Anna sursauta. «Petite opération», le parc scientifique? C'est alors qu'elle se souvint que Glomac était l'un des plus importants laboratoires pharmaceutiques du monde.

— Tout devrait bien se passer, continua Grant. Bien sûr, il est encore un peu tôt pour pouvoir l'affirmer, mais le rapport concernant l'étude d'impact sur l'environnement ne devrait pas poser de problème. Il nous reste tout de même encore de nombreuses formalités à accomplir avant de commencer.

— C'est tout à fait normal. L'emplacement que vous avez choisi est superbe et votre projet, passionnant. Vous savez qu'il nous intéresse toujours beaucoup ?

Grant se contenta de lever un sourcil. Le visage de Matheson resta impassible, et il poursuivit d'une voix égale :

— Au cas où les investisseurs ne répondraient pas aussi massivement que vous l'espérez, souvenez-vous que nous sommes toujours repreneurs de votre affaire. Nous pourrions la développer à une échelle beaucoup plus importante, et vous y trouveriez votre compte aussi bien que nous-mêmes. Pensez-y...

Grant vida son verre de vin d'un trait et se leva brusquement.

— Je vous remercie, mais je ne pense pas que nous en arriverons là. Je vous prie de nous excuser. La suite de notre dîner vient d'arriver, nous allons continuer notre repas.

Un léger signe de tête lui suffit pour prendre congé de l'élégante assemblée, un baiser léger sur la joue d'Olivia, et Grant repartit à grandes enjambées vers sa table, entraînant Anna, fort perplexe, dans son sillage.

On venait de leur apporter des tranches de gigot à la menthe, accompagnées de petits légumes sautés, mais, le front barré d'un pli soucieux, Grant ne jeta même pas un coup d'œil sur les assiettes, pourtant fort appétissantes.

— Quel culot ! marmonnait-il entre ses dents. Développer mon affaire sur une plus grande échelle... Cet homme me rend malade !

Effectivement, il était devenu blanc de rage contenue.

Inquiète de cette métamorphose, Anna cherchait à comprendre.

— De quoi parlait-il ?

— Oh, c'est une vieille histoire. Il y a quelques années, j'ai aidé une tribu amazonienne à obtenir le droit de conserver son territoire, et j'ai conclu avec elle un accord me permettant d'étudier et de promouvoir certaines plantes utilisées dans leur médecine traditionnelle. L'une d'elles en particulier me paraît susceptible de devenir un véritable remède miracle, aussi précieux que l'aspirine. Alors, vous comprenez, Glomac n'a qu'un désir : mettre la main sur un filon aussi prometteur. Matheson en a d'autant plus envie que cela lui permettrait de faire d'énormes bénéfices. Et de redorer le blason d'un laboratoire dont la réputation a bien baissé depuis qu'il en est à la tête.

— Vous ne voulez pas collaborer avec lui ?

— Impossible ! Il est tellement avide qu'inévitablement, les transactions seront faussées à la base. Pour faire un maximum de bénéfices, il n'hésitera pas à exproprier cette tribu. Je connais ce scénario par cœur.

— Que se passe-t-il dans ce cas-là ?

— Eh bien, ces gens refusent d'offrir aux indigènes un prix correct pour leur produit. Or ceux-ci ne vivent plus en autarcie comme autrefois. Une fois condamnés au manque d'argent, ils sont prêts à vendre leurs terres à un prix dérisoire, et c'est la fin de leur tribu.

— C'est affreux !

— Je ne dis pas que Matheson proposera de les envoyer directement dans les favelas de Recife, mais pourvu que Glomac y trouve son compte, il saura détourner la tête au moment où cela se produira.

— Et Olivia dans tout cela ?

— Sa position n'est pas facile. Matheson étant le meilleur ami de son père, elle peut difficilement couper les ponts avec lui.

— Bien sûr, commenta succinctement Anna en buvant une gorgée de bordeaux.

A franchement parler, elle n'avait pas trouvé qu'Olivia avait l'air particulièrement mal à l'aise, ni que ses rapports avec Matheson étaient spécialement tendus ou cérémonieux, mais comment dire cela à Grant ?

Le court moment passé à la table voisine avait annihilé le plaisir et la spontanéité de leur conversation. Ils mangèrent rapidement, presque sans se parler. Aucun d'eux n'eut envie de dessert, et, leur café à peine avalé, ils quittèrent le restaurant sans plus attendre.

Le lendemain matin, Grant était gai comme un pinson, alors qu'Anna se sentait d'humeur plutôt maussade en montant dans sa voiture. Elle formait des vœux pour que la firme Bell engage Jake à sa place, mais rien n'était moins sûr. Pourquoi les responsables se contenteraient-ils de sa bonne parole pour engager un remplaçant? La situation était d'autant plus délicate que, comme ils avaient financé sa thèse, la jeune femme avait tendance à se sentir redevable à leur égard, ce qui ne facilitait pas sa négociation. C'était le problème numéro un.

Quant au problème numéro deux, bien que moins grave, il n'allait pas sans l'inquiéter. C'était ses cheveux, ou plutôt, son absence de cheveux... Elle n'avait encore rien dit à Jake. Que ferait-elle s'il se mettait en colère? Sans compter que cette coiffure peu orthodoxe risquait de diminuer sa crédibilité auprès des responsables de Bell.

Elle soupira. Impossible de faire quoi que ce soit pour le problème numéro un. Mais il y avait moyen de régler rapidement le problème numéro deux.

Dès qu'ils arrivèrent en ville, elle pria Grant de la déposer à Oxford Street, une rue très commerçante et, une fois seule, elle entra chez un coiffeur. Là, elle fit l'acquisition d'une perruque auburn, de la longueur de ses propres cheveux avant le désastre opéré par Brian. Bien arrangé, cet accessoire la métamorphosait, lui rendant son allure sage d'autrefois. Ouf! Grâce à ce stratagème, elle allait pouvoir ménager la susceptibilité de ses différents interlocuteurs...

Jake l'attendait dans le hall de la société Bell. Au grand soulagement d'Anna, il ne remarqua pas la per-

54

ruque. En revanche, le tailleur ne passa pas inaperçu, et lui déplut souverainement. Il en trouva la couleur ridicule et la jupe trop courte. Heureusement, on les fit rapidement monter au premier étage où on les installa dans une salle d'attente. Tandis que Jake restait debout, les mains croisées dans le dos, et arpentait nerveusement la pièce, Anna s'assit et se plongea dans la lecture d'une revue d'écologie jusqu'à ce que des pas se fassent entendre dans le couloir.

— Hawkins ! s'exclama une voix bien connue. Quel immense plaisir de faire enfin votre connaissance ! Et quel honneur de vous compter bientôt au sein de notre équipe !

Sous le regard interloqué d'Anna, Grant Mallett s'avança vers Jake et le gratifia d'une vigoureuse poignée de main. Avec un enthousiasme non dissimulé, il l'entraîna aussitôt dans son bureau dont il referma énergiquement la porte.

Anna s'attendait à les voir ressortir aussitôt, mais il n'en fut rien. La porte resta obstinément close pendant un long moment. Lorsque enfin elle s'ouvrit pour laisser le passage aux deux hommes, le visage de Jake était cramoisi, et celui de Grant arborait une expression d'intense déception. Il déclarait d'une voix ferme :

— Non, je ne travaille pas de cette manière. De toute façon, c'est Hawkins que je veux pour ce travail. Lui, et personne d'autre. C'est à cette seule condition que la firme Bell m'accordera son soutien financier. Si au moins vous aviez amené le Pr Hawkins avec vous, nous aurions pu en discuter tout de suite, mais...

Laissant sa phrase en suspens, il fit du regard le tour de la salle d'attente. Son regard glissa sur Anna qu'il ne remarqua pas. On aurait dit qu'il soupçonnait le célèbre zoologue de se cacher derrière le canapé. Déçu de son inspection, il revint à Anna, et, cette fois-ci, son visage manifesta une surprise incrédule.

— Anna ? Je reconnais votre tailleur, mais... Pourquoi cette perruque ?

La jeune femme n'eut pas le temps de répondre. En face d'elle, la bouche de Jake s'arrondissait sous le choc de ce qu'il était en train de découvrir. Le regard de Grant passait de l'un à l'autre, de plus en plus ahuri.

— Mon Dieu, balbutia-t-il. Vous voulez dire que...

— Oui, avoua Anna, résignée.

— Votre fiancé! J'aurais dû m'en douter... Il ne doit pas en exister deux comme lui, murmura-t-il entre ses dents. Je suis désolé, ajouta-t-il à voix plus haute et en se forçant à parler aussi calmement et poliment que possible, vraiment désolé de ne pas avoir de meilleures nouvelles à vous annoncer. J'ai quelqu'un d'autre en tête pour cette étude. Au fait, n'auriez-vous pas aperçu le Pr Hawkins? Je devais le rencontrer ce matin...

Jake dévisagea Grant, puis lança :

— Je vous ai déjà dit qu'Anna n'était pas intéressée par ce travail. Demandez-le-lui vous-même si vous ne me croyez pas!

Un court silence suivit cette intervention. Puis, Grant regarda de nouveau Jake, comme tétanisé.

— Anna? balbutia-t-il.

— Elle ne veut plus travailler sur le terrain, reprit Jake. A plusieurs reprises, elle m'a affirmé qu'elle préférait rester secrétaire à Arrowmead. Bien sûr, c'est un véritable gâchis, mais si c'est son choix... Je ne comprends pas pourquoi vous refusez une recommandation de sa part.

Bouche bée, Grant regardait Anna. Enfin, il réussit à articuler.

— Professeur Hawkins? Professeur A.K.V. Hawkins?

Anna soupira piteusement.

— Oui.

— Suivez-moi dans mon bureau, jeta Grant. Nous avons deux ou trois petites choses à mettre au point ensemble.

Anna ne fut pas plutôt entrée qu'il claqua sans ménagement la porte derrière eux.

— Comment avez-vous osé? grommela-t-il.

— Osé quoi?

Anna s'efforçait de ne pas penser à Jake, abandonné dans la salle d'attente. Quelque chose lui disait qu'il ne l'accueillerait pas chaleureusement à la sortie...

— Par quoi commencer? fulminait Grant en arpentant la pièce en tous sens et en jetant de temps à autre un regard meurtrier en direction de la jeune femme. Et cette perruque... Quelle idée! Mais comment avez-vous pu envisager une seule minute d'épouser ce type? Vous êtes folle, ma parole! Folle à lier! Et comme si une bêtise ne suffisait pas, vous jetez par-dessus bord une brillante carrière scientifique pour me conseiller sur le nombre de distributeurs de Coca-Cola que je dois installer à Arrowmead! Pincez-moi, je dois rêver! Je fais même le cauchemar du siècle...

La fureur de Grant ne faisait que croître et embellir au fur et à mesure qu'il parlait.

— Ah! Vous vous êtes bien moquée de moi! Me laisser croire que vous n'aviez jamais entendu parler du Pr Hawkins...

— C'est bien fait pour vous! rétorqua Anna. Après tout, si vous n'étiez pas si sexiste, vous n'auriez pas posé en principe que ce professeur ne pouvait être qu'un homme et vous auriez fait le lien tout seul!

— Quel lien? coupa Grant. Votre oncle s'appelle Bright. Il ne m'est pas venu à l'idée que...

— ... que ma tante était la sœur de ma mère? Vous manquez vraiment d'imagination!

— Vous n'avez pas tort, convint Grant. En fait, vous avez raison sur toute la ligne. A l'avenir, je torturerai mes secrétaires avant de les embaucher. Histoire de leur extorquer leurs secrets les plus intimes, comme par exemple, leur nom de famille. Ah, vous avez dû bien vous amuser... Vous avez même dû rire comme une folle en me voyant gaspiller de l'argent pour habiller une secrétaire qui connaissait « un peu » le vocabulaire scientifique!

— Non, je ne me suis pas moquée de vous, protesta Anna. Enfin, un tout petit peu... Mais j'ai réellement décidé de me reconvertir dans un métier qui me mette à l'abri des intempéries. Franchement, si je vous avais dit qui j'étais, avouez que vous m'auriez aussitôt expédiée dans quelque maudit marécage !

Grant fourra les mains dans ses poches et prit un air désolé.

— Professeur Hawkins, j'ai le regret de vous annoncer une catastrophe : vous êtes très exactement l'homme de la situation.

— Mais vous m'avez fait jurer de ne plus jamais porter de jeans ! protesta Anna avec l'énergie du désespoir.

— Le progrès de la science exige les plus grands sacrifices, déclara Grant sur un ton sentencieux.

Anna soupira à fendre l'âme et se laissa tomber sur la première chaise venue. Tristement, elle croisa ses longues jambes devant elle. Des jambes si élégantes dans leur collant dernier cri. Dire qu'il allait falloir de nouveau enfiler des jeans boueux et de lourdes bottes à crampons ! Quel triste destin que le sien...

Insensible à sa détresse, Grant s'approcha d'elle.

— Pourquoi diable vous être affublée de cette perruque ? Vous permettez ?

Et, sans plus de cérémonie, il la lui retira.

— J'imagine que vous avez voulu cacher votre nouvelle coupe de cheveux à votre fiancé ? Pour respecter ses goûts... disons... classiques ? Quelle belle preuve d'amour !

Anna le regardait, muette et contrariée. Pourtant, elle n'était pas au bout de ses peines. Déjà, Grant revenait à la charge.

— Vous ne m'avez toujours pas dit par quelle aberration vous vous êtes fiancée à cet imbécile.

— Ce n'est pas un imbécile ! protesta la jeune femme. Il possède toutes les qualités que vous exigez de moi. Il est méthodique, travailleur, obstiné...

58

— Ce n'est qu'un bûcheur, rien de plus. Un percheron, qui s'essouffle à courir derrière un pur-sang. Son dossier n'était déjà guère séduisant, mais maintenant que je l'ai vu, lui, c'est hors de question !

— Pardon, qu'est-ce qui est hors de question, exactement ?

— Que vous l'épousiez, bien sûr !

— Mais pourquoi ?

— Parce que je suis sûr qu'il ne vous a jamais embrassée comme ça !

5.

La pluie tombait à verse d'un ciel de plomb, creusant à la surface du lac des milliers de petits cratères, fouettant les roseaux, sifflant furieusement à travers les branches des saules qui bordaient la plage. Plongée jusqu'à mi-mollets dans l'eau froide, engoncée dans son ciré jaune, Anna considérait d'un air morose les emplacements où elle devait effectuer ses observations.

Deux mois déjà s'étaient écoulés depuis son entretien avec Grant, deux mois depuis qu'elle s'était jetée à corps perdu dans l'étude qu'il lui avait demandée. Mais aujourd'hui, encore une fois, elle avait énormément de mal à se concentrer. Et cela, à cause d'un baiser ! Un baiser... Mais que signifiait un baiser ? Rien du tout ! Voilà bien ce qui la rendait folle. Un baiser, d'habitude, cela se donne, cela se prend, puis cela s'oublie. Eh bien, pas celui de Grant. Elle avait pourtant parié que, sitôt la porte franchie, elle n'y penserait plus. Pari perdu. Complètement. Entièrement. Totalement.

A qui en voulait-elle le plus ? A Grant ou à elle-même ? Elle n'en savait trop rien. Ou plutôt, si, elle le savait. A Grant ! Il lui suffisait pour cela de se souvenir de toutes les horreurs qu'il lui avait dites ce jour-là. Mais le pire, c'est que, depuis, Jake l'agaçait profondément...

La mine renfrognée, elle contempla une fois de plus le lac balayé par la pluie. Et si Grant avait raison, après tout ? Non, Jake avait beaucoup de qualités. Lesquelles ?

Pour l'instant, elle ne savait pas vraiment lesquelles, mais c'était icontestable. Quant aux baisers de son fiancé, eh bien, elle était bien forcée de reconnaître que jamais ils ne l'avaient transportée. C'était tout au plus une manière assez agréable de passer le temps. Et justement, Jake avait toujours l'air de penser qu'elle ferait mieux de s'occuper autrement. Par exemple, en écrivant un article ou en préparant une conférence.

D'ailleurs, quand donc Jake l'avait-il embrassée pour la dernière fois ? Impossible de s'en souvenir... Alors que deux mois plus tard, elle sentait encore sur ses lèvres la douceur de la bouche de Grant. Ivre de ce souvenir, Anna ferma les yeux...

Il l'avait prise par les épaules et plaquée, sans ménagement d'ailleurs, contre le bureau. Puis, l'espace de quelques secondes, il l'avait regardée dans les yeux. Elle aurait pu détourner la tête. Elle aurait pu esquiver. Oui. Mais elle ne l'avait pas fait. Au contraire, hypnotisée, elle avait plongé son regard dans celui de l'homme qui la retenait prisonnière, comme elle l'aurait fait dans une mer tiède et bleue. D'un bleu intense, mythique, déraisonnable. Le bleu des yeux de Grant Mallett.

Et puis elle avait cédé, persuadée que ce serait un jeu d'enfant de bannir ensuite cet instant de sa mémoire. Hélas... Elle ne disposait d'aucun pouvoir pour lutter contre le sortilège de ce bleu-là. Les longs cils noirs... La mèche blonde qui retombait sur son front... Il était la beauté virile à l'état pur, et elle comprenait à cette minute que, depuis le jour de leur rencontre, elle se demandait sans se l'avouer ce que l'on pouvait bien ressentir dans les bras d'un tel homme.

La bouche de Grant s'était posée sur la sienne. Qu'attendait-elle alors ? Un baiser impitoyable, presque cruel. Celui d'un homme trop sûr de lui. Mais ce ne fut pas cela du tout. Ce fut bien pire. Ou bien meilleur...

Le simple contact de ses lèvres sur les siennes fut comme une allumette enflammée jetée sur de l'étoupe.

Leur douceur insistante était presque insupportable tant elle suscitait le désir. Les jambes molles, l'esprit chaviré, Anna avait cédé, entrouvert sa bouche affamée de douceur. Alors, elle avait compris qu'aucun des baisers qu'elle avait reçus jusque-là n'était digne de ce nom. Même pas ceux de son fiancé...

Vite, elle chassa cette pensée gênante...

Grant l'embrassait toujours. Toujours et toujours mieux. Et au lieu de le repousser comme elle aurait dû le faire, elle consentait, pire même, elle levait la main et caressait les cheveux blonds, épais, doux comme la soie. Il frissonnait voluptueusement, et, consciente du plaisir qu'elle lui donnait, le sien s'en était trouvé encore augmenté. Non, jamais elle n'aurait cru qu'un baiser pût être aussi bon !

Pourtant, la vie regorgeait de choses autrement plus importantes que le plaisir physique ! Jake et elle avaient beaucoup en commun. Aucun adulte sain d'esprit ne sacrifierait tout cela en échange de simples baisers, fussent-ils aussi enivrants qu'une liqueur forte !

Tout à coup, Grant s'était dégagé, et, debout devant elle, les bras ballants, la respiration haletante, il l'avait contemplée, comme effrayé. Elle ne savait que penser. Heureusement, enfin, il avait recommencé à parler.

— Vous voyez bien, vous ne pouvez pas épouser Jake !

Anna avait sursauté.

— Bien sûr que si ! La vie ne se résume pas au sexe, Grant. Que faites-vous de la complicité intellectuelle, des intérêts communs, du respect mutuel ?

— Quoi !

— Un mariage a besoin de solides fondations pour tenir debout. Jake et moi sommes bien d'accord là-dessus, et c'est ce qui me plaît dans ma relation avec lui. Voyons, Grant, il est grand temps pour vous de devenir adulte ! La vie ne peut pas être idéale, il faut savoir accepter les compromis. Une simple attirance physique ne saurait remplacer tout le reste...

— Je ne crois pas le moindre mot de ce que vous racontez ! Bien sûr, ce serait idiot d'épouser quelqu'un avec qui vous n'auriez rien en commun, mais si c'est tout ce qui compte pour vous, pourquoi prendre la peine de vous marier ? Contentez-vous de collaborer et d'échanger vos documents. Que vous faut-il pour comprendre cela ?

— Bien plus qu'un simple petit baiser.

— Vraiment ? C'est une proposition que vous me faites ? Jusqu'où voulez-vous aller ?

— Franchement, de tous les obsédés sexuels que j'ai pu connaître, c'est vous qui remportez la palme, et haut la main ! Et vous voudriez que je couche avec vous pour le seul plaisir de faire des comparaisons ?

— Inutile de vous donner ce mal ! Vous n'avez jamais couché avec lui, alors que pourriez-vous comparer ?

Vaguement humiliée, Anna avait serré les dents.

— Qu'est-ce qui vous permet de dire cela ?

— C'est l'évidence même. Si vous aviez couché avec lui, vous n'envisageriez pas une seconde de l'épouser. D'ailleurs, je crois que vous n'avez jamais couché avec personne !

Le rouge était monté aux joues d'Anna.

— Eh bien, vous vous trompez !

Grant lui avait jeté un regard sceptique qui avait eu le don de la mettre hors d'elle. Que ce soit vrai ou faux, il aurait au moins pu avoir la décence de faire semblant de la croire !

— Parfaitement ! J'ai eu beaucoup d'amants.

Bien sûr, elle exagérait...

— Oui... intellectuellement parfaits et virilement incompétents, n'est-ce pas ? Non, ça suffit, arrêtons cette comédie.

Doucement, il avait repris :

— Excusez-moi. Je me suis un peu emporté. Vous n'avez rien à me prouver. Tout ce que je veux vous dire, c'est qu'en vertu de quelques principes surannés, vous êtes en train de renoncer à l'une des choses les plus merveilleuses qui soient.

Elle était restée immobile, comme paralysée, pendant qu'il continuait.

— Même quand je vous prenais pour une simple secrétaire, un peu portée sur le domptage des tarentules, je vous trouvais déjà extraordinaire. Or il s'avère que, par-dessus le marché, vous êtes un brillant sujet. Vous pouvez avoir tous les hommes que vous voulez ! Franchement, je ne supporte pas qu'une jeune femme aussi belle et aussi intelligente que vous gâche ainsi sa vie... Je voulais seulement vous prouver qu'il y a en vous une femme que vous ignorez. Excusez-moi si je vous ai mise en colère, je souhaitais simplement vous éviter une vie entière de frustration.

— Vous êtes bien sûr que ce n'est pas vous qui êtes horriblement frustré ? Votre fiancée ne doit pas être très ardente pour que vous embrassiez ainsi les autres femmes...

— Laissons Olivia en dehors de tout cela, voulez-vous ?

— Et pourquoi donc ?

— Disons... Disons que vous êtes belle à couper le souffle, et que j'ai perdu la tête un moment. Quant à vous, professeur Hawkins, vous êtes bien trop sensée pour céder à des élans irraisonnés. Point final.

Et voilà. Il avait mis fin à la bataille au moment où elle commençait à marquer quelques points. Tant pis. D'ailleurs, il passait déjà à autre chose.

— J'ai ici votre contrat et quelques consignes concernant votre travail d'étude. Le point sensible se trouve dans la partie sud-ouest de notre terrain. Il me semble qu'il y a là quelques roseaux auxquels il serait bon de prêter attention. Mais évidemment, c'est à vous de juger.

Sur ce, il lui avait tendu une grosse enveloppe brune.

— Si cela vous paraît nécessaire, vous pouvez constituer une équipe pour vous seconder. Une précision cependant... Etant donné que les travaux de votre ami Jake sont très proches des vôtres, nous n'aurons pas besoin de ses services.

Ce dernier coup, porté d'une voix égale et posée, avait totalement démoralisé la jeune femme.

Un éclair déchira le ciel, ramenant Anna à ses roseaux. La pluie tombait maintenant avec moins de violence, mais paraissait s'être installée pour des heures. Un brouillard épais se levait sur le lac. Impossible de procéder à quelque observation que ce soit, elle n'y voyait pas plus loin que le bout de son nez. Autant retourner dans son bureau consulter les études préliminaires effectuées par la Société royale des eaux ou les associations de protection des oiseaux. Anna avait d'ailleurs déjà passé beaucoup de temps à éplucher dossiers et statistiques concernant l'équilibre écologique du secteur concerné par l'installation du parc scientifique. Mais ce travail ingrat faisait partie de toute recherche sérieuse.

Dans le bruit épouvantablement disgracieux de ses bottes aspirées par la vase à chacun de ses pas, elle regagna la rive, enfourcha lourdement sa bicyclette et partit en zigzaguant sur le chemin boueux.

Une nouvelle fois, ses pensées retournèrent vers Grant. En fait, elle aurait peut-être oublié son baiser, ou l'aurait tout au moins rangé au rayon des souvenirs que l'on évoque de temps à autre, deux ou trois fois par semaine, si Jake y avait mis un peu du sien. Mais ce soir-là, il avait boudé pendant tout le repas, ne cessant de reparler de son entretien à coups de : « J'aurais dû dire ceci, et si j'avais répondu cela... »

Anna avait alors réalisé que depuis plusieurs années, elle avait passé un temps fou à écouter ce genre de scénario, à rassurer le narcissisme blessé de son fiancé, à lui répéter qu'il était brillant et que, bien sûr, il n'avait pas été aussi médiocre qu'il le croyait.

Puis, elle avait eu honte de ces mauvaises pensées.

Comme elle était injuste ! Percer dans le monde universitaire était difficile, autant, sinon plus, que dans bien d'autres milieux, elle le savait parfaitement. Souvent d'ailleurs, des gens de valeur ne réussissaient pas à être reconnus. Non, son malaise avait une autre origine. En fait, elle devait se l'avouer, Jake et elle n'avaient pas d'intimité physique, et c'était là le nœud du problème.

Elle avait tant et tant voyagé pour faire ses observations sur le terrain, tant travaillé à la rédaction de ses rapports et tant aidé Jake à écrire les siens qu'ils n'avaient jamais eu l'occasion d'établir des relations un peu intimes. C'était la rançon de leur travail intensif. Eh bien, elle venait de prendre une décision. Une vraie. Une de celles qui comptent dans la vie d'une femme. Dès qu'elle aurait l'occasion de placer un mot, elle allait proposer à Jake d'aller passer la nuit avec lui dans un hôtel.

Jusque-là, il avait été trop absorbé par son métier pour consacrer un peu de temps à... autre chose. Désormais, cela allait changer, elle en prendrait l'initiative s'il le fallait.

Hélas, sa proposition ne fut pas accueillie avec un enthousiasme débordant ! Après tout, c'était bien normal, tenta-t-elle de se rassurer. On ne change pas aussi rapidement ses habitudes. Seul un coureur de jupon dans le genre de Grant aurait tout de suite sauté sur l'occasion.

Pourtant, elle s'était attendue à autre chose...

— Voyons, c'est ridicule ! s'était exclamé Jake dès qu'elle avait formulé sa proposition. D'ailleurs, nous n'avons rien prévu comme... contraceptif, avait-il ajouté, un peu gêné.

— Mais il te suffit d'entrer dans une pharmacie pour acheter...

— Quoi ! Tu plaisantes ? Si jamais c'est une femme qui est au comptoir ?

Jake était devenu tout rouge. Tant de timidité parut un peu déplacée à Anna, surtout chez un zoologue, mais elle se montra conciliante.

— Bon, d'accord. C'est moi qui irai.

Jake avait alors poussé un long soupir.

— Tu sais, je ne suis vraiment pas d'humeur à batifoler... J'espérais que tu t'en rendrais compte de toi-même. Tu as oublié que j'ai un autre entretien demain? Il faut que je me repose pour être au mieux de ma forme. D'ailleurs, je me demande quelle mouche te pique tout à coup. Il me semble que, d'un commun accord, nous avions décidé d'accorder la priorité à notre travail. Ce serait vraiment absurde que des relations sexuelles nous détournent de nos préoccupations intellectuelles et mettent nos carrières en danger.

Voilà tout ce qu'elle avait pu tirer de lui ce soir-là.

Bon. Peut-être Jake avait-il raison, se disait Anna en pédalant sous la pluie. Sûrement même. La meilleure preuve en était le trouble dans lequel l'avait plongée le baiser de Grant. Pourtant, les mots qu'il avait prononcés revenaient sans cesse à son esprit. « Pourquoi vous marier? Contentez-vous d'échanger vos documents. » Un instant, elle avait même failli faire cette proposition à Jake. Puis, considérant l'état dépressif dans lequel l'avait plongé l'échec de son entretien, elle s'était mordu la langue, horrifiée par sa méchanceté.

Finalement, comme pour se faire pardonner, elle avait été d'une gentillesse et d'une patience infinies pendant le reste de la soirée. Mais cela lui avait demandé des efforts surhumains. Ce qui prouvait bien qu'elle était d'une nature foncièrement mauvaise et égoïste. Pourtant, le fait de voir Jake continuer à engloutir ses poireaux vinaigrette comme si de rien n'était le lui rendait encore plus insupportable.

A grands coups de pédales, elle arriva au sommet de la côte en zigzaguant toujours péniblement. La pluie l'aveuglait, dégoulinait sur son visage, ruisselait dans son cou. Quelle horreur! Elle ne put s'empêcher de penser avec jalousie à la jeune femme qui, bien au chaud et au sec, avait la chance d'occuper le bureau qui aurait dû rester le sien. Emportée par cette vision d'un paradis perdu, elle cessa un instant de prêter attention au chemin qu'elle dévalait maintenant sans effort.

Le bruit d'un moteur de 4x4 la ramena brusquement à la réalité. Elle sursauta. La route était trop étroite pour eux deux, et trop glissante pour qu'elle pût freiner brutalement. Comble de malchance, sa lanterne ne fonctionnant pas, le conducteur ne l'avait certainement pas aperçue. Que faire? En un éclair de lucidité, elle opta pour la seule solution possible. Serrant les dents, elle donna un brutal coup de guidon et se jeta sans hésiter dans le fossé qui longeait le chemin.

Après un vol plané digne d'un cascadeur professionnel, elle se retrouva, un peu ahurie, assise au fond de la tranchée. L'épaisse couche de boue qui avait fort heureusement amorti sa chute la gratifia du même coup d'un maquillage dont elle se serait bien dispensée. Peu importe, elle était saine et sauve!

6.

— Anna ? Anna ? Vous allez bien ?

Anna aurait reconnu cette voix entre mille ! Drôle d'endroit pour une rencontre... Et surtout, drôle d'accoutrement ! Pour ce qui concernait le camouflage, elle n'avait certainement rien à envier aux plus grands spécialistes. Eh bien, tant pis ! Grant la verrait dans l'exercice de ses fonctions. Peut-être comprendrait-il enfin pourquoi elle avait tant rêvé d'un emploi de bureau ? Titubant dans cinquante centimètres de vase, la jeune femme s'efforçait de sortir sa bicyclette du bourbier.

— Anna ? Attendez, je vais vous aider !

Elle jeta un coup d'œil vers la route. Une vague silhouette se découpait dans la brume.

— Non, merci. Je vais... Oh ! Attendez !

Jamais elle n'avait vu ce massif d'iris jaunes, là, tout près d'elle...

En tirant de toutes ses forces, elle réussit à dégager son engin et à le coucher sur le talus. L'eau boueuse coulait des manches de son ciré aussi allègrement que d'une gouttière. Anna ne fit ni une ni deux. De toute manière, impossible d'être plus mouillée qu'elle ne l'était déjà... Autant se débarrasser de cet imperméable. Sitôt dit, sitôt fait. Elle jeta l'encombrant vêtement à côté du vélo. Quel soulagement ! D'un revers de main, elle essuya son visage et, en jean et T-shirt ruisselants, elle pataugea en direction de sa découverte.

71

Le fossé de drainage dans lequel elle était tombée avait été creusé cinq ans auparavant. Il était donc très intéressant de constater que cette plante commune s'était installée si rapidement. Intéressant et encourageant! Sa curiosité professionnelle reprenant le dessus, elle en oubliait l'inconfort de sa position, tandis que Grant, debout sur le talus, ne comprenait rien à la situation.

— Que diable faites-vous là-dedans?

Et, sans attendre de réponse, il sauta dans l'eau. Il venait chercher la réponse in situ, sans se soucier de son propre confort!

Anna évita de le regarder dans les yeux. Elle avait eu tout le loisir de s'initier à ce sport pendant les semaines précédentes : comment aurait-elle pu regarder cet homme en face alors qu'elle ne cessait de se rappeler dans les moindres détails — et Dieu sait s'ils étaient précis! — les quelques minutes qu'elle avait passées dans ses bras? Heureusement, elle avait une excuse toute trouvée.

— Regardez ces iris jaunes! cria-t-elle d'une voix enthousiaste.

— Anna! s'exclama Grant, ahuri par tant d'inconscience. Vous trouvez que c'est le moment de contempler les beautés de la nature? Excusez-moi si je vous parais bien terre à terre, professeur Hawkins, mais il me semble que vous êtes trempée jusqu'aux os, et comme vous constituez un investissement de prix pour Arrowmead, je ne voudrais pas que vous attrapiez une pneumonie.

— Et ils ont poussé en moins de cinq ans, continuait Anna, sourde aux observations de Grant.

— Pas possible! ironisa ce dernier.

Anna fit un gros effort pour expliquer sans s'énerver.

— C'est prodigieux qu'une telle végétation se soit reconstituée aussi vite!

Transi par son séjour dans l'eau glacée, Grant ne partageait toujours pas l'émerveillement de sa compagne.

— D'accord, c'est très joli, convint-il, en faisant un

effort pour se montrer patient, mais je me permets de vous faire remarquer qu'il pleut toujours, que nous sommes aussi mouillés l'un que l'autre et que toute cette humidité est sûrement mauvaise pour nos futurs rhumatismes... Allons, professeur Hawkins, soyez raisonnable, et acceptez que je vous ramène au sec.

Comme à regret, Anna lui tendit la main, et il la tira hors du fossé. Soudain, couverte de boue des pieds à la tête, contemplant son compagnon qui ne valait guère mieux, elle parut prendre conscience de l'étrangeté de leur situation.

— Mais... Que faites-vous dehors par un temps pareil ?

Grant eut envie de lui rire au nez. Cette fille était vraiment incroyable !

— Je venais vous chercher. Qu'est-ce qui vous est arrivé ? Vous avez perdu le contrôle de votre vélo ?

— Non, figurez-vous que je me suis jetée dans le fossé pour éviter un 4x4 qui roulait comme un fou dans ma direction.

— Oh, ce n'était pas la peine ! Regardez où je me suis arrêté...

Anna constata alors un peu amèrement que le lourd véhicule se trouvait à plusieurs mètres de l'endroit d'où elle avait sauté dans le fossé. Si elle avait su...

Grant lui ouvrait déjà la portière en esquissant une révérence.

— Professeur Hawkins...

Une fois qu'ils se retrouvèrent tous les deux à l'intérieur, Grant prit un air sérieux pour déclarer :

— Parons au plus pressé. Qui consiste à vous débarrasser de vos affaires trempées. Vous trouverez un survêtement à l'arrière.

— Parfait, je me changerai dès notre arrivée.

— Pas question. Tout de suite.

— Mais...

— Je vous promets de ne pas regarder. Au moins pendant les trente premières secondes...

73

— Vous êtes aussi trempé que moi ! Pourquoi ne vous changez-vous pas ?

Il lui adressa un sourire fulgurant.

— Je me change tout de suite si vous promettez de ne pas regarder... de l'autre côté.

Anna éclata de rire. Cet homme était tout bonnement incorrigible !

— Franchement, reprit-elle, à quoi bon vous marier si c'est pour flirter systématiquement avec toutes les femmes que vous rencontrez ?

— Erreur ! Je ne flirte qu'avec vous.

— C'est vraiment indispensable à votre équilibre ?

— Pourquoi m'en priverais-je ? Qu'est-ce que cela change pour vous ? Rien. Vous êtes fiancée à un homme parfait et heureuse de l'être. Un baiser aussi explosif qu'une charge de dynamite vous a laissée parfaitement indemne... Alors, franchement, ce n'est pas cet innocent marivaudage qui risque de vous déstabiliser !

Le ton était badin, mais Anna se demandait si, dans le fond, il plaisantait réellement. Pourtant, il continua.

— Je vous signale d'ailleurs que si vous continuez à me désobéir, je me chargerai de l'opération moi-même. Je ne supporte pas de voir ma spécialiste de l'environnement trempée comme une soupe. Allez, je vais être bon prince. Je vous laisse une minute !

Et, d'un bloc, il se détourna vers la fenêtre.

— Un, deux, trois...

Anna ne se le fit pas dire deux fois. Vivement, elle retira son T-shirt mouillé et enfila le sweat, beaucoup trop grand pour elle, mais sec et douillet. Puis, elle se débarrassa de ses lourdes bottes et de son jean noir de boue pour le troquer contre le pantalon de survêtement tiède et moelleux de Grant. Quel bonheur d'être enfin au chaud !

Déjà, Grant se tournait de nouveau vers elle.

— A la bonne heure ! Quelle barbe ces études de terrain, n'est-ce pas ? Plus on est compétent, plus on est maltraité.

— Je ne vous le fais pas dire... Mais n'oubliez pas que c'est vous-même qui m'avez obligée à retourner braver les éléments. Sans votre intervention, je serais tranquillement assise derrière mon bureau en train de répondre au téléphone.

— Tss...Tss... Vous adorez ce que vous faites !

Tout en parlant, il se tourna, attrapa une serviette-éponge qui se trouvait sur le siège arrière — par quel miracle ? — et, avant qu'elle ait eu le temps de dire ouf, il se mit à lui frotter énergiquement le crâne.

— C'est très mauvais de garder la tête mouillée, commenta-t-il succinctement.

Au contact de ses mains douces et énergiques, Anna sentit le rouge lui monter aux joues, en même temps qu'une sourde inquiétude l'envahissait : était-ce normal d'être ainsi troublée par un autre homme que son fiancé ?

Une idée la rassura un peu. Grant croyait que son baiser l'avait laissée indifférente. Tant mieux. Mais, à l'entendre, lui-même en avait été troublé, et pourtant, il ne remettait pas en cause ses fiançailles. Pourquoi l'aurait-elle fait, elle ?

Comme s'il devinait le cours de ses pensées, il se pencha vers elle. Anna éprouva alors une terrible tentation, persuadée que ce baiser serait encore plus grisant que le précédent. Pourtant, elle fut héroïque.

— Non, je ne crois pas que ce serait une bonne idée, parvint-elle à articuler.

— Comme vous voudrez, répondit-il laconiquement. Dans ce cas, rentrons !

Il mit le contact, fit une savante marche arrière et partit à toute allure en pleine descente. Quel casse-cou ! Pourtant, sa façon de conduire inspirait une confiance totale à Anna. En fait, il possédait la maîtrise d'un coureur de formule 1. Mais cela n'ébranla pas la décision de la jeune femme. « Très peu pour moi, ce genre d'exercice, se dit-elle. Sitôt ma mission terminée, je retrouve mon petit confort. Voiture chauffée, bureau douillet, appartement coquet. » Pourtant, quel dommage de penser que cet homme si audacieux allait passer sa vie aux côtés de cette pimbêche d'Olivia. Quel gâchis !

A cette pensée, elle ne put contenir un soupir. Inquiet, Grant lui jeta un coup d'œil.

— Je peux savoir ce qui vous contrarie ?

— Hum... Je sais que vous n'aimez pas que je critique votre fiancée, mais, franchement, je préférerais que vous fréquentiez quelqu'un de plus aimable.

Le véhicule fit une embardée inattendue.

— Parce que vous croyez que, moi, je suis aimable ? Quelle erreur ! Je suis un horrible homme d'affaires qui trompe son monde avec des sourires hypocrites, c'est tout.

— Alors, vous êtes parfaitement assortis ?

— Il me semble.

Le 4x4 avançait maintenant à un train de sénateur. Comme si la concentration de Grant était inversement proportionnelle à la vitesse du véhicule.

— Vous savez, les mariages des uns sont autant de mystères aux yeux des autres... Sans doute parce que ce n'est pas seulement la personne choisie qui entre en ligne de compte, mais aussi le style de vie qui l'on projette de mener à ses côtés. Il s'agit d'un engagement profond, total, qui dépend de ce que chacun a décidé de faire de sa vie.

— Ah, je vois. Alors vous avez décidé de passer la vôtre à acheter des meubles ?

Grant refusa de répondre à la provocation.

— J'ai rencontré Olivia il y a deux ans, au moment où j'essayais d'intéresser quelques personnalités au sort de la tribu amazonienne dont je vous parlais l'autre jour. J'avais bien réussi à gagner des appuis locaux, mais cela ne suffisait pas. Loin de là. Olivia m'a aidé à toucher des personnes influentes.

Un instant, il hésita, fronça les sourcils, comme s'il cherchait les mots exacts pour traduire sa pensée.

76

— J'aurais été stupide de refuser son aide sous prétexte qu'elle appartient à la bonne société. Après tout, ce sont des gens qui peuvent considérablement vous faciliter l'existence. Bien sûr, j'avais connu d'autres femmes avant Olivia, mais pour la première fois, j'ai compris qu'à nous deux, nous formerions une équipe formidable. Car il ne suffit pas d'avoir des idées généreuses, encore faut-il posséder les moyens de les réaliser. Voilà ce que j'essayais de vous dire tout à l'heure. C'est ce que je considère comme des bases solides pour un mariage.

— Je vois... murmura Anna.

Sa déception lui fit froid dans le dos. Somme toute, cet exposé était-il si différent de celui qu'elle-même lui avait fait sur le couple qu'elle formait avec Jake? Et quel pouvait bien être l'idéal de vie d'une femme comme Olivia, si ce n'est de dépenser autant d'argent qu'elle le souhaitait? Chaque fois qu'Anna avait vu Olivia au cours des semaines précédentes, de quoi parlait cette dernière? D'argent. Combien le centre allait-il rapporter? Quels bénéfices pouvait-on escompter du parc scientifique? L'argent... La belle blonde n'avait que ce mot à la bouche.

Quelques jours plus tôt, alors qu'elle rédigeait son compte rendu hebdomadaire dans son bureau, Anna avait surpris une conversation entre Grant et Olivia. Au départ, comme il s'agissait de la couleur d'un papier peint, Anna n'avait pas jugé utile de s'éloigner. Mais soudain, à brûle-pourpoint, Olivia avait suggéré à Grant de lui verser un salaire. Comme Grant lui demandait quelle somme elle attendait, elle avait murmuré quelque chose à voix basse.

Combien? Anna n'en avait pas la moindre idée, mais le sifflement émis par Grant en guise de réponse laissait supposer que la somme annoncée n'était pas négligeable. Olivia éprouva alors le besoin de se justifier en expliquant que le travail qu'elle fournissait pour Arrowmead l'empêchait d'occuper un autre emploi. Après un court silence, Grant s'était excusé de l'avoir exploitée et avait déclaré que, si tel était le montant de ce qu'elle estimait mériter, il le lui verserait désormais.

Anna en était restée muette d'indignation. Comment Grant pouvait-il être aussi aveugle ? Pourquoi la cupidité de la femme avec laquelle il prétendait passer sa vie ne lui sautait-elle pas aux yeux ?

Après cet épisode, elle essaya de lui faire comprendre les réticences qu'elle éprouvait vis-à-vis de sa fiancée.

— Etes-vous bien sûr qu'Olivia est réellement concernée par votre projet ? Comment savez-vous qu'elle n'aurait pas soutenu n'importe quel autre homme capable de faire la une des journaux ? En fait d'intérêts communs, vous avez certes celui de protéger les minorités, à condition toutefois d'y inclure les grands couturiers parisiens...

Grant lui jeta un regard furieux.

— Vous ne connaissez pas Olivia !

— Et vous, vous croyez connaître Jake ?

— Nous ne parlons pas de la même chose, Anna. Je ne mets pas en doute le fait que vous avez en commun des préoccupations intellectuelles de haut niveau. Mais il me semble qu'entre vous deux n'existe pas cette attirance physique sans laquelle il est stupide de se marier. En ce qui concerne Olivia, elle n'est pas du genre à se donner en spectacle et sait réserver ses démonstrations d'affection au cadre strictement intime.

Tout de même... Anna avait du mal à les imaginer en tête à tête. Mais pourquoi insister ?

— Si vous passez au lit des moments inoubliables, je vous crois sur parole ! Mais si c'est tout ce que vous partagez, pourquoi vous marier ?

— Nous sommes d'accord sur toutes les questions importantes.

— Vous croyez qu'elle approuve vos idées parce qu'elle approuve tout ce que vous dites ? Mais c'est la preuve qu'elle s'en fiche complètement ! Vous vous rappelez votre visite chez l'antiquaire ? Vous souscriviez à tous ses choix parce que rien de tout cela n'avait d'importance à vos yeux. C'est exactement sa position vis-à-vis de votre projet.

La bouche de Grant se durcit soudain.

— Vous accusez Olivia très injustement. Comment pourrait-elle discuter ce projet ? Elle ne possède pas les mêmes connaissances scientifiques que vous, mais elle ne se désintéresse pas pour autant du sort de la planète !

— Vous êtes aveugle... Dans le fond, ça vous est bien égal qu'elle partage ou non votre idéal. Tout ce qui vous plaît, c'est qu'elle intervienne en votre faveur lorsque c'est nécessaire. Alors pourquoi chercheriez-vous des complications ?

Paradoxalement, cette franchise détendit l'atmosphère. Grant eut un léger sourire et accéléra.

— Vous ne comprenez pas. Olivia reconnaît parfaitement que ces questions ne l'intéressaient pas avant que nous nous rencontrions. Mais elle est heureuse de s'engager avec moi, et elle le fait avec la foi des néophytes. Ce serait tout à fait malhonnête d'attendre d'elle qu'elle ait déjà des opinions bien arrêtées sur ces questions délicates ! Et je ne vois pas en quoi cela m'empêcherait d'éprouver pour elle des sentiments authentiques.

Anna soupira. Inutile d'insister, elle avait perdu la partie. Grant ne voulait rien entendre. Eh bien, soit ! Après tout, cela lui était bien égal. Simplement, elle ne supporterait pas indéfiniment d'entendre chanter les louanges d'Olivia, la fiancée au grand cœur. Non, certainement pas. Sèchement, elle conclut :

— Parfait, je vous souhaite beaucoup de bonheur.

— Et moi pareillement...

— Si vous me disiez maintenant pourquoi vous êtes venu me chercher dans le fossé ? Est-ce pour faire l'éloge de votre chère et tendre, ou parce que vous manquiez d'humidité ?

— Ni l'un ni l'autre, ma chère, hélas ! Rien ne va plus à Arrowmead, William s'est échappé !

7.

Le véhicule s'arrêta net devant le centre où régnait la confusion la plus totale. Tout un groupe de personnes était massé sous l'auvent de l'entrée, parmi lesquelles Anna reconnut la nouvelle secrétaire, agitée de mouvements convulsifs, et Olivia, blanche comme un linge, au milieu de divers ouvriers à l'air apeuré.

— Ah! Vous voilà enfin! s'exclama Olivia d'un air furieux en apercevant Anna. Vous pouvez être fière de vous!

Anna ne se laissa pas impressionner par le ton furibond de sa « rivale » et demanda calmement :

— Que s'est-il passé?

Un chœur de voix horrifiées se fit aussitôt entendre. Tout le monde parlait en même temps, mais il ressortit tout de même de ce brouhaha qu'en déplaçant une échelle, un des ouvriers avait heurté la boîte en verre de William, qui s'était écrasée sur le carrelage.

— Mon Dieu! murmura Anna. Pourvu qu'il ne soit pas blessé!

Cette phrase ne fit que décupler la colère des rescapés. C'était vraiment le comble de voir la responsable de cette catastrophe se soucier de l'horrible bestiole alors que tout le monde avait failli mourir de peur! Au milieu d'un concert de protestations, Anna réussit à comprendre que William s'était mis à sautiller vers le bout de la pièce, « pour attaquer la secrétaire et l'un des ouvriers ». Elle en déduisit que son protégé était sain et sauf et avait eu plus de peur que de mal.

Essayant tant bien que mal de garder son calme, Olivia expliqua que des cris de panique provenant du bureau de Grant l'avaient alertée. Aussitôt, elle s'était approchée et avait aperçu le monstre en liberté. Affolée, elle avait emboîté le pas à la secrétaire et à l'homme qui fuyaient le danger, mais avait tout de même eu la présence d'esprit de claquer la porte derrière elle. L'animal était donc resté prisonnier dans le bureau. A Anna maintenant de récupérer l'animal venimeux avant qu'il n'ait provoqué un drame.

Anna essaya de rassurer tout le monde.

— Je vous assure qu'il n'y a pas le moindre danger. Cet animal est totalement inoffensif et il a eu bien plus peur que vous...

Les visages, sceptiques, se tournèrent vers elle. Personne ne dit mot, mais il était clair qu'aucun des témoins de la scène ne retournerait dans la pièce tant que le fauve n'aurait pas été rattrapé.

— Allons, professeur Hawkins, lança Grant. L'araignée d'abord, les conférences ensuite !

Anna s'avança vers le bâtiment.

— Pourquoi ne pas l'avoir capturé vous-même ?

— Je ne suis pas dompteur, répondit-il à voix basse. Puis, il ajouta à haute voix : Je pensais qu'il y avait une technique particulière pour cela et, pour rien au monde, je n'aurais voulu blesser votre protégé. Si je lui avais fait mal, vous ne m'auriez plus jamais adressé la parole, n'est-ce pas ?

— Pff..., jeta Anna d'un air qu'elle voulait méprisant.

Elle ouvrit la porte du bureau et jeta un coup d'œil circulaire. Quel chantier ! Dans leur affolement, les fugitifs avaient tout renversé : tables, chaises, et même l'ordinateur. Le sol était jonché de rapports. Un cyclone n'aurait pas fait mieux... Quel gâchis inutile !

— Fermez la porte derrière vous, et surtout, faites attention où vous mettez les pieds.

— Bien, professeur.

— Je vais faire des trous dans le couvercle de cette boîte de stencils et vous laisserez William dedans en attendant que je me procure une autre cage en verre.

— Vous me le confiez de nouveau ?

— Vous refusez ?

— Eh bien... Disons que votre protégé a tendance à perturber le service...

Anna leva le nez et mesura soudain l'étendue du désastre. Cette pièce était le bureau du responsable d'une opération mettant en jeu des milliards, et tout était sens dessus dessous ! Pourrait-on seulement récupérer les informations stockées dans la mémoire de l'ordinateur ? De plus, tout le monde s'était arrêté de travailler alors que le temps pressait comme jamais... Le visage de Jake, vert de colère pour une tasse de café renversée sur une lettre, passa à toute vitesse devant les yeux de la jeune femme. Comment Grant pouvait-il rester aussi calme ?

— Je... je suis vraiment désolée, articula-t-elle, sincèrement repentante. Accepterez-vous de prendre William dans votre bureau s'il dérange le personnel ? Ma tante, hélas, est toujours aussi intraitable.

Les yeux bleus étincelèrent.

— Oui, à une condition.

— Laquelle ?

— C'est que vous veniez le récupérer en personne quand il partira en vadrouille.

— Bien sûr !

— Alors, c'est d'accord. Affaire conclue.

— Mais vous savez, il n'y a absolument aucune raison pour qu'il s'échappe de nouveau.

— Certes, mais il est toujours possible d'aider le hasard, n'est-ce pas ? Par exemple, je peux de temps en temps oublier de fermer le couvercle, et glisser à notre prisonnier un crayon en guise d'échelle de corde...

Anna écarquillait des yeux ahuris.

— Que voulez-vous dire ?

— Etant donné que, pour vous, tous les prétextes sont bons pour m'éviter, je peux, de mon côté, créer des occasions de vous faire venir dans mon bureau.

Anna rougit et détourna la conversation.

— Si nous essayions de retrouver William ?

Mais Grant ne renonçait pas à son idée.

— Mon humour, pourtant légendaire, a l'air de vous laisser de glace. Promettez-moi de ne plus me fuir.

— Mais je ne vous fuis pas...

— Menteuse !

— Je vous assure. Si je ne vous vois pas, c'est parce que j'ai beaucoup de travail. Ah... Voilà William !

En effet, une fine patte noire et velue dépassait de sous un catalogue entrouvert sur le sol. Lentement, prudemment, William s'avançait vers le pied du bureau. Anna s'accroupit et attendit. William fit un petit saut. Puis un autre, qui le rapprocha de la jeune femme. Soudain, avec une habileté consommée, Anna rabattit la boîte sur le fugitif, glissa par-dessous une feuille de carton et retourna le tout avant de mettre en place le couvercle adéquat.

— Bravo ! Quelle dextérité ! s'exclama Grant.

— A chacun son métier.

— Tout à fait d'accord. J'en profite donc pour vous rappeler qu'il entre aussi dans vos attributions de participer aux manifestations mondaines d'Arrowmead. Je vous convie donc au cocktail que nous organisons en l'honneur de l'inauguration du centre de conférences. Et si vous refusez, William ira sans doute prendre l'air...

— Vous avez gagné, répondit Anna en riant. Je viendrai.

— Parfait ! Je crois que nous pouvons faire rentrer tout le monde. Ohé, cria-t-il en se penchant à la fenêtre, la voie est libre !

Les ouvriers retournèrent à leurs échafaudages, mais sous divers prétextes, les femmes de ménage rentrèrent chez elles. On ne devait d'ailleurs jamais les revoir... Olivia réintégra le bureau en compagnie de la nouvelle secrétaire qui affichait un air désespéré.

— Je suis vraiment désolée pour l'ordinateur, monsieur Mallett. Mais j'étais tellement terrifiée que je ne savais plus ce que je faisais !

Grant la rassura avec beaucoup de gentillesse.

— Ce n'est pas grave, puisque nous sommes connectés au réseau Internet. Toutes les informations sont récupérables.

Mais la jeune femme ne parut pas soulagée par cette information.

— Hélas, la liaison avec mon ordinateur n'a pas toujours fonctionné correctement ! Il m'est arrivé parfois de perdre de la documentation que j'avais sauvegardée par cet intermédiaire. Ce qui fait que, par la suite, j'ai systématiquement stocké sur le disque dur de mon ordinateur.

Anna écoutait cela, très étonnée. Il y avait des semaines maintenant qu'elle avait établi la connexion. Tous les problèmes de coordination auraient dû être réglés depuis longtemps. C'était incroyable qu'un point aussi important ait pu être négligé...

Elle jeta un coup d'œil à Grant, persuadée qu'il allait balayer l'incident d'une remarque insouciante, comme il en avait l'habitude. Mais pas du tout ! Il arborait une expression contrariée qu'elle ne lui avait vue qu'une seule fois : à la suite de son entretien avec Jake. Ce n'était pas vraiment de la colère, mais il avait perdu cet air de bienveillance qui le caractérisait.

— Je vois, déclara-t-il calmement. C'est contrariant. J'espère que vous avez des copies sur disquettes ?

— J'ai l'essentiel, répondit la malheureuse, mais il me manque le document que vous m'avez remis ce matin.

— C'est vraiment ennuyeux. Vous savez que ce document doit être envoyé en urgence ? Il vous faut tout de suite regarder ce que vous pouvez récupérer. J'attends votre réponse dans mon bureau, et je vais voir si les connexions Internet fonctionnent convenablement. Ce n'est pas normal que vous ayez eu tous ces problèmes.

La voix était calme, égale, les mots ne visaient qu'à

l'efficacité, mais Anna était bien contente de ne pas être à la place de la secrétaire... Très gênée d'assister à cette scène, elle s'était mise à ramasser les papiers qui jonchaient le sol afin de se donner une contenance.

Grant l'arrêta d'un geste.

— Laissez ! Vous avez eu froid, il faut boire quelque chose pour vous réchauffer. Venez dans mon bureau, vous prendrez un café pendant que je passerai mes coups de fil.

Olivia les suivit. De plus en plus contrariée par cette aventure dont elle était indirectement la cause, Anna ne savait comment s'excuser.

— Je suis désolée, Grant. Tout cela est ma faute...

A sa grande surprise, le visage de ce dernier s'éclaira comme par enchantement.

— Bien sûr que oui ! Tout est votre faute, ajouta-t-il en composant un numéro de téléphone. Et la mienne aussi, puisque j'ai accepté d'héberger pareil pensionnaire...

Au bout d'un moment, il posa le récepteur.

— Bizarre ! Personne ne répond.

Haussant les épaules, il servit trois tasses de café et sortit une bouteille de whisky de son placard.

— Pas pour moi, déclara Olivia. Ecoute, Grant, il faut que je te parle de quelque chose.

Grant versa une rasade de whisky dans la tasse d'Anna, puis, dans la sienne.

— D'accord, mais dans un instant.

Puis, se tournant vers Anna :

— C'est vrai, c'est vous qui avez provoqué tout ce remue-ménage, et il est dommage que l'ordinateur de Jenny soit probablement hors de service. Mais à quelque chose, malheur est bon. Grâce à cet incident, je viens de détecter quelques sérieux problèmes que je vais tâcher de résoudre sans plus attendre.

Il avala une gorgée de café et réfléchit intensément.

— Quelque chose n'est pas normal dans tout cela. Nous devrions être correctement connectés depuis longtemps. Ou alors, ma secrétaire aurait dû me prévenir de ce dysfonctionnement... De plus, l'entreprise de maintenance devrait répondre aux clients vingt-quatre heures sur vingt-quatre. Tout cela ne me plaît pas beaucoup, mais je veux savoir ce qu'il se passe. Je serai sans doute amené à changer de fournisseur informatique...

— Voyons, Grant, intervint Olivia, c'est impossible ! Je connais Nigel depuis des années, il est parfaitement fiable.

— Pour les autres peut-être... De toute façon, je veux d'abord entendre ce qu'il aura à me dire. Au cas, évidemment, où je réussirais à le joindre !

— N'oublie pas, ajouta Olivia, que seule ta secrétaire affirme que la connexion n'a pas fonctionné. A mon avis, elle est incompétente et rejette la faute sur les autres.

Anna buvait son café en silence. Ah, si elle avait été à la place de Jenny, bien au chaud dans ce confortable bureau au lieu de patauger dans la boue, elle n'aurait pas laissé passer cela. Elle aurait prévenu Grant, elle aurait harcelé l'entreprise...

— De toute façon, reprit Olivia, ce n'est pas de cela que je voulais te parler. J'ai une nouvelle extraordinaire à t'annoncer ! Figure-toi que Rupert Matheson a passé le week-end chez mes parents et leur a confié que Glomac était réellement intéressé par ton parc scientifique. Tu te rends compte ? Il paraît que les responsables envisagent depuis un certain temps d'installer un laboratoire dans cette région et que l'endroit que tu as choisi pour implanter ton parc leur conviendrait tout à fait.

— Glomac ? demanda Grant d'une voix glaciale. Tu sais ce que je pense de Matheson ?

— Oui, d'accord. Il y a eu un petit malentendu entre vous à propos d'un médicament, mais je crois que tu t'es fait une idée fausse de lui. Associer un nom aussi prestigieux que Glomac à ton projet, ce serait magnifique !

— Ce n'est pas sûr du tout. Ce que je veux, moi, c'est accueillir des chercheurs indépendants, qui n'ont pas les moyens de se procurer un matériel de premier choix. L'espace est limité ici, et Glomac occuperait beaucoup trop d'espace. En fait, je pense que, rapidement, ils phagocyte-raient mon projet. Ce n'est pas ce genre de partenaire que je recherche.

Interloquée, Olivia dévisageait Grant.

— Mais tu as perdu le sens commun ! Le nom de Glo-mac à lui tout seul attirera une foule de clients, le prix des actions montera en flèche, bref, tu n'auras plus aucun souci financier. Il faudrait être fou pour laisser passer une chance pareille !

Grant lui adressa un sourire ravageur.

— Je sais... C'est justement cette folie qui rend les choses si amusantes. Ce que ça va être drôle de voir la tête des gens de Glomac quand je leur annoncerai que je refuse leur candidature ! Je me réjouis déjà de ce spectacle...

Pour la deuxième fois de l'après-midi, Anna se sentit fort gênée de se trouver où elle était. Elle aurait donné n'importe quoi pour se trouver ailleurs, n'importe où, même au milieu des roseaux infestés de moustiques !

Car de toute évidence, Olivia était horrifiée par la réponse de Grant. Que l'on pût refuser pareille manne dépassait son entendement. Grant, au contraire, tout pénétré de son idéal, ne paraissait pas remarquer le fossé qui les séparait. Quant à Anna, elle était lasse d'être le témoin impuissant de ce dialogue de sourds.

— Je vais rentrer... glissa-t-elle en essayant de s'esqui-ver.

— Pas question ! protesta Grant. Vous êtes encore toute transie. Il faut vous réchauffer d'abord.

Le bourdonnement de l'Interphone l'interrompit. C'était la malheureuse secrétaire qui, des larmes dans la voix, expliquait que son ordinateur ne fonctionnait plus, mais qu'elle était prête à passer la nuit à retaper le document irré-cupérable. Grant la remercia chaleureusement de son offre, mais estima ce sacrifice inutile.

— Rentrez chez vous, Jenny, vous avez eu assez d'émo-tions pour la journée ! Je me débrouillerai avec le fax, une fois n'est pas coutume.

Olivia ne put s'empêcher d'intervenir d'un ton acide.

— Pauvre fille ! Ce n'est peut-être pas un génie de l'informatique, mais avoue que si tu n'avais pas accepté de garder ici cette bête ignoble, tu aurais évité tout ce gâchis ! J'espère que tu vas t'en débarrasser une bonne fois pour toutes.

— Pas exactement. Désormais, elle restera dans mon bureau.

— Allons, Grant, ce genre de gaminerie ne convient absolument pas à un homme d'affaires de ton standing. Arrête de te comporter comme un gosse !

Grant éclata d'un rire clair.

— Ma pauvre chérie ! Qu'est-ce que tu as fait au ciel pour tomber sur un olibrius tel que moi ? Je te promets de ne parler de William à personne afin de préserver ma réputation aux yeux de l'opinion publique, mais tu ne me feras pas changer d'avis. Je le garde !

Sur ce, il se leva et vint déposer un baiser sur la bouche d'Olivia qui demeura parfaitement indifférente à ce geste de tendresse. Paradoxalement, ce fut Anna qui rougit, mais Grant ne parut rien remarquer de tout cela. Tout guilleret, il continuait :

— Au lieu de te soucier de ma ménagerie, montre-nous plutôt ce que tu as choisi pour le centre de conférences.

Olivia sortit un catalogue de son sac, l'ouvrit sur le bureau, et, un peu à contrecœur d'abord, puis avec de plus en plus de plaisir, elle se mit à montrer le matériel qu'elle avait retenu. De temps en temps, Grant jetait un coup d'œil sur le téléphone qui, à intervalles réguliers, rappelait automatiquement l'entreprise de maintenance informatique. Personne ne répondait. Obéissante, Anna fit un effort louable pour se concentrer sur les rétroprojecteurs, mais elle avait bien du mal à chasser de son esprit le souvenir des gestes attentionnés dont Grant l'avait entourée dans la voiture. Au bout d'un moment, Olivia leva le nez et lança :

— Au fait, Anna, Grant m'a fait part de votre suggestion à propos des distributeurs de boissons. J'y avais moi-même pensé, mais cela ne serait pas à la hauteur du standing d'Arrowmead, alors j'ai décidé de ne pas en installer.

— Oh, répondit Anna, les chercheurs ne sont pas habitués au luxe. Tout ce qu'ils recherchent, ce sont des occasions d'échanger des idées avec des gens qu'ils n'auraient pas rencontrés s'ils étaient restés chez eux.

Olivia la toisa impitoyablement. Brusquement, face à cette élégante tirée à quatre épingles, la pauvre Anna prit conscience de sa tenue clownesque. Quelle piètre interlocutrice elle faisait ! Pas étonnant qu'on ne la prît pas au sérieux...

— J'en prends bonne note, articula Olivia d'un air pincé.

— Oui, essaie d'en tenir compte, intervint Grant en passant un bras autour des épaules de sa fiancée.

C'en était trop pour Anna. Elle n'en pouvait plus.

— Il faut vraiment que je m'en aille, maintenant. Puisque la maintenance informatique ne répond pas, je vous propose de déposer l'ordinateur de Jenny chez un réparateur en ville.

Le téléphone continuait à appeler, mais le service concerné restait désespérément muet. Tout en serrant tendrement Olivia contre lui, Grant tira la conclusion de ces appels restés sans réponse.

— Chérie, tu es témoin que j'ai fait tout mon possible envers Xpro. Tes amis seront toujours mes amis, mais je viens de prendre une décision irrévocable : je change de fournisseur informatique.

Olivia jeta un regard impuissant vers le téléphone, puis se tourna vers Grant. Ils allaient s'embrasser. Il était amoureux... Sans un mot, Anna ouvrit la porte et sortit.

8

Debout devant le miroir, Anna s'inspectait sous toutes les coutures avant de se rendre au cocktail d'inauguration du centre de conférences. Par miracle, tous les travaux avaient été terminés à temps et les premiers colloques pourraient effectivement s'y tenir dès la mi-mai.

Olivia avait bien fait remarquer que la présence de l'écologue attachée au centre n'était pas indispensable lors de cette manifestation mondaine, mais Grant avait immédiatement balayé cette objection. Il estimait au contraire que ce serait excellent pour l'image de marque du centre de présenter quelqu'un d'aussi jeune, qui comptait déjà dans la communauté scientifique. « Surtout quand ce quelqu'un est aussi décoratif ! » avait-il ajouté un peu étourdiment. Les lèvres pincées, Olivia avait aussitôt abandonné la discussion. Voilà pourquoi Anna avait particulièrement à cœur de faire preuve d'élégance ce soir.

Une fois de plus, elle s'examina sans complaisance. Allait-elle vraiment oser porter cette petite robe noire ? La jupe virevoltante descendait sagement jusqu'aux genoux, mais le corselet très ajusté, qui lui faisait une taille de guêpe, était profondément échancré. Concession à la pudeur cependant : le délicat entrelacs de dentelle noire qui montait jusqu'au cou et les manches longues assorties. En fait, ce détail ne faisait qu'augmenter le côté sophistiqué d'une toilette que l'on s'attendait fort peu à découvrir sur le dos d'une collaboratrice des revues scientifiques les plus austères!

La jeune femme se recula d'un pas pour mieux juger de l'effet qu'elle produisait. Pas mal! Pas mal du tout, même. Au moins pour une fois, elle ne ressemblait pas à un garçon manqué. Pourtant, cela ne paraîtrait-il pas un peu bizarre qu'elle se fût à ce point mise en frais alors que son fiancé n'était pas à ses côtés? Bah... S'il fallait tenir compte de tout, elle n'en sortirait jamais! Allons, sa décision était prise. Elle gardait la robe sur elle. Et tant pis pour les mauvaises langues...

Sur ce, elle étala sur ses lèvres un rouge lumineux, souligna ses yeux d'un trait d'eye-liner, déposa un peu de blush sur ses pommettes et, de nouveau, se contempla dans la glace, satisfaite. Ses cheveux avaient commencé à repousser, mais sa coiffure conservait une allure juvénile qui contrastait totalement avec son maquillage soigné et sa robe raffinée. Au fond, c'était assez amusant de se surprendre soi-même! Sans plus hésiter, la jeune femme enfila ses chaussures vernies à hauts talons. Voilà, cette fois, elle était prête.

Olivia ne parut pas follement enchantée de voir apparaître la dompteuse d'araignées ainsi métamorphosée. Le sourcil levé, elle s'abstint de tout commentaire. Grant fut moins réservé.

— Professeur Hawkins! s'exclama-t-il. Vous êtes sensationnelle! Comme tout le monde s'attend à rencontrer un vieux savant myope, je crains que personne ne vous prenne bien au sérieux!

En fait, Anna passa toute la première partie de la soirée à discuter de ses travaux avec d'éminentes personnalités, notamment avec son ancien directeur de thèse, le Pr Edwards, qu'elle retrouva avec plaisir.

Au fur et à mesure que se déroulait la réception, l'on pouvait constater au-delà de toute espérance combien les locaux étaient bien adaptés à leur fonction. Grant ne cessait de recevoir des compliments. Le Pr Edwards en particulier ne tarissait pas d'éloges.

— Mallett, votre centre est tout simplement exemplaire et j'espère vivement que nous tiendrons ici le colloque que nous sommes en train de préparer. Pour la première fois de ma vie de congressiste, je ne suis pas obligé de parler debout entre deux portes... Bravo pour ces coins sympathiques, propices à la discussion ! C'est un atout magistral pour Arrowmead.

Tout heureux, Grant proposa une coupe de champagne. Anna accepta volontiers car elle partageait la satisfaction de son employeur. Pourtant, une pensée l'attristait un peu.

— Quel dommage que Jake n'ait pu se joindre à nous ! ne put-elle s'empêcher de déclarer.

— Humm..., marmonna le Pr Edwards, sans manifester un regret bien vif.

— Vous savez, il est sur liste d'attente pour un poste à l'université de Birmingham, expliqua-t-elle néanmoins.

Bien sûr, le curriculum vitæ de Jake ne lui permettrait pas de décrocher une chaire, mais la jeune femme se souciait de soigner la réputation de son fiancé. Faire partie des rares candidats retenus était tout à son honneur. Autant que cela se sache !

A la grande surprise d'Anna, le Pr Edwards fronça les sourcils.

— A l'université ? demanda-t-il. Vous devez vous tromper, il s'agit sans doute d'un lycée.

— Non. Je suis sûre que non, insista Anna.

— Je suis formel. Quatre noms seulement ont été retenus, et le sien n'en faisait pas partie. Ce qui n'est pas étonnant d'ailleurs, étant donné...

— Etant donné quoi ? demanda Anna, soudain alarmée.

Mais Grant revenait avec le champagne.

— Longue vie à Arrowmead ! lança-t-il gaiement en levant son verre. Ce sera passionnant d'accueillir tous ces colloques. Et le parc scientifique complétera à merveille cette installation. Il me tarde réellement qu'Anna termine son étude car ensuite, tout s'enchaînera très vite. Nous pourrons obtenir le permis de construire et demander les subventions qui en dépendent. Et ensuite, en marche vers le xxie siècle !

Très intéressé par le travail de son ancienne étudiante, Edwards lui demanda de multiples explications, qu'Anna lui fournit de son mieux. Mais comme c'était difficile de chasser de son esprit l'inquiétude qu'elle éprouvait à propos de Jake ! Enfin, Grant les laissa en tête à tête, et elle put poser la question qui lui brûlait les lèvres.

— Qu'alliez-vous dire tout à l'heure à propos de Jake ?

Edwards, d'ordinaire très spontané, parut tout à coup au comble de l'embarras.

— Oh... Humm... Je me demandais s'il ne ferait pas mieux de changer de voie, laissa-t-il enfin échapper. Honnêtement, Anna, je ne pense pas qu'il ait la moindre chance de réussir. Autrefois, peut-être. Mais de nos jours, la compétition est devenue extrêmement rude. Beaucoup de gens de grande valeur restent sur le carreau, tant le nombre de postes est infime. Dans ces conditions, je ne pense pas qu'il soit très réaliste pour Jake d'espérer que sa candidature soit prise en considération.

Anna s'exclama :

— Mais il a publié un nombre impressionnant d'articles !

Edwards secoua sa belle chevelure blanche.

— Certes... Mais les gens savent lire, Anna. L'amour vous rend partiale sans doute. En fait, il n'a pas votre niveau, cela saute aux yeux. Il y a un écart énorme entre la valeur de ses articles et celle des vôtres, et cet écart existe aussi entre ce qu'il a publié en collaboration avec vous et ce qu'il a fait tout seul. Ce qui est surprenant d'ailleurs, c'est que lorsqu'on parle avec lui, il donne l'impression d'avoir tout fait. Vous n'êtes mentionnée qu'au titre d'assistante...

Conscient d'assener un coup douloureux à une per-

94

sonne qu'il estimait beaucoup, Edwards ne put retenir un soupir.

— Bref, les gens n'apprécient pas trop cette façon de procéder. Je vous conseille de faire part de mon message à Jake. Cela lui évitera sans doute bien des désillusions.

Sur ce, il profita de ce qu'un collègue lui faisait signe pour le rejoindre, laissant Anna totalement désemparée. A tel point d'ailleurs qu'elle ne se sentait pas le courage de faire bonne figure si quelqu'un venait lui parler. Mieux valait s'esquiver un moment. Elle sortit dans le couloir et, au hasard, ouvrit une porte dans l'espoir de trouver un peu de calme.

Elle n'était pas la seule à avoir eu cette idée. Un couple se tenait devant la fenêtre, si absorbé par sa discussion qu'aucun des deux ne l'entendit entrer.

— J'apprécie d'autant plus ton aide, Rupert, que je suis un peu gênée en ce moment...

C'était la voix d'Olivia. Anna s'immobilisa sur le pas de la porte. Déjà, Rupert Matheson répondait.

— N'en parlons plus. Tu sais que ton père est un vieux copain. Et puis, je compte sur toi pour convaincre cette tête brûlée que je ne suis pas le monstre qu'il imagine.

— Je suis sûre d'y parvenir, reprit Olivia.

— Espérons-le. Il a tout intérêt à nous confier la mise au point de ce médicament, et il ferait bien de s'en rendre compte. D'ailleurs, on ne sait jamais à l'avance les surprises que ces études d'impact environnemental peuvent réserver, n'est-ce pas ?

— Très juste, approuva Olivia.

— Si jamais il y a le moindre problème, la nouvelle se répandra comme une traînée de poudre. Rien de tel pour freiner les investisseurs...

Silencieusement, Anna recula sur la pointe des pieds et retourna dans le hall. Matheson perdait son temps ! C'était sûr et certain. Elle ne savait que trop ce que Grant pensait du personnage. Enfin... Ce n'était pas son problème. Elle avait bien d'autres sujets d'inquiétude avec Jake.

Poussant une autre porte, elle traversa une bibliothèque, et se retrouva dans un petit salon qui donnait sur le parc. Les étoiles brillaient de tous leurs feux dans le ciel pur de la campagne. Le chant nocturne des insectes montait de la pelouse. De temps à autre, elle apercevait la silhouette de petites chauves-souris qui vivaient dans l'une des tours. Quel calme... Et quel repos de ne plus avoir à alimenter la conversation dans la chaleur et le bruit !

Voyons, qu'avait dit Edwards ? Ah oui... Que l'affection qu'elle portait à Jake la rendait partiale. Surprenant ! Mais possible, après tout. Il ressortait en tout cas de cette conversation que Jake avait utilisé le travail de sa fiancée pour en arriver à la position qu'il occupait actuellement. Plus grave encore, il avait menti en lui faisant croire qu'il était apprécié dans la sphère universitaire, puisque jamais il n'avait été retenu sur la liste d'attente d'une université aussi cotée que celle de Birmingham. Quelle hypocrisie ! Elle aurait du mal à oublier cette bassesse...

Une immense lassitude s'empara soudain de la jeune femme.

Elle s'avançait sur la terrasse pour mieux profiter du calme de la nuit lorsque des pas résonnèrent derrière elle.

— Anna ? Vous vous sentez bien ?

— Oui, Grant, tout à fait. Je suis simplement venue respirer un peu d'air frais.

La jeune femme faisait de gros efforts pour dissimuler sa contrariété, mais Grant ne fut pas dupe de sa voix, qu'elle ne pouvait empêcher de trembler.

— Je ne vous crois pas. Vous êtes bouleversée. Que s'est-il passé ?

En entendant cette voix si amicale, la jeune femme ne réussit plus à se contrôler. Elle cacha son visage dans ses mains et éclata en sanglots. Aussitôt, les bras de Grant furent autour de ses épaules. Doucement, il la poussa vers le banc de pierre qui se trouvait sur la terrasse, la fit asseoir, et sortit un mouchoir de sa poche.

— Tenez. Essuyez vos larmes, et racontez-moi tout.

Entre deux sanglots, elle avoua : la malhonnêteté de Jake, son mensonge, et la profonde déception qu'elle venait d'éprouver.

— Vraiment, je ne sais pas quoi faire. Il serait égoïste de rompre au moment précis où il n'arrive pas à trouver de travail, mais je ne peux quand même pas l'épouser seulement parce que je le plains !

Anna se tamponna une nouvelle fois les yeux avec le mouchoir.

— Le pire, c'est que sans lui, je n'aurais jamais continué mes études de terrain. J'en avais assez de me faire dévorer toute crue pour le progrès de la science !

— Allons, je vois que le moral revient, déclara Grant en lui prenant la main. Je crois qu'il vous faut réfléchir sérieusement maintenant. Vous m'aviez déjà avoué que le côté physique de votre relation passait après votre entente intellectuelle...

— Et alors ? coupa Anna.

— Eh bien, il est temps de tirer les conclusions qui s'imposent.

— Ce n'est pas si simple... Notre collaboration, même si elle ne trompait que moi, lui permettait tout de même de décrocher quelques cours de-ci, de-là. Si je le laisse tomber, il n'aura plus rien. Rien du tout. Ni travail, ni fiancée. C'est un peu dur, non ?

— Non. D'après le Pr Edwards, il n'a aucune chance de faire une carrière universitaire. Plus tôt il se reconvertira, plus il aura de chances de réussir ailleurs. Dans son intérêt, vous devez rompre au plus vite.

— Oui, vous avez raison, déclara soudain Anna. C'est la meilleure façon de lui rendre service. Et je pourrai enfin devenir employée de bureau la conscience tranquille et me laisser pousser les ongles...

— Mon Dieu, se récria Grant. Si j'avais su que c'était cela votre idéal, je vous aurais plutôt conseillé de l'épouser !

— Vraiment ?

— Hmm... Non, peut-être pas, tout de même. Allons, il nous faut sans attendre célébrer votre liberté retrouvée ! Et je sais exactement comment...

— Ah ?

Grant se leva en riant. L'air vaguement inquiet d'Anna l'amusait beaucoup.

— A quoi croyez-vous donc que je pense ? se moqua-t-il gentiment. Je veux danser avec vous, tout simplement.

Sur ce, il l'enlaça et ils se mirent à virevolter sur la terrasse au son de l'orchestre qui leur parvenait, un peu étouffé, mais encore plus romantique. Grant évoluait avec l'aisance qui le caractérisait, tandis qu'Anna, plus inexpérimentée en la matière, avait un peu de mal à le suivre. Mais il s'adapta facilement aux hésitations de la jeune femme.

Anna appréciait la souplesse de son cavalier. C'était si bon de se laisser aller contre lui, de sentir sa main chaude posée sur le velours de sa robe. Comme dans un rêve, ils glissaient, tournoyaient, avec la lune argentée pour seul témoin. Anna aurait voulu que ce moment dure toujours. Hélas, la musique s'arrêta et elle demeura, immobile, dans les bras de Grant, sa joue posée contre la chemise amidonnée.

— Merci, murmura-t-elle. Je me sens nettement mieux.

— Parfait. Hélas, il me faut rejoindre les invités, puisqu'il est d'usage de les saluer avant leur départ !

Mais Anna ne bougea pas. Grant eut un rire un peu triste.

— Dois-je vous rappeler, professeur Hawkins, que l'un de nous deux est toujours amoureux de quelqu'un d'autre ?

A ces mots, ce fut comme si un voile se déchirait devant les yeux de la jeune femme. Comment avait-elle pu être si stupide ? Comment avait-elle pu ne pas voir qu'elle, Anna Hawkins, était tombée amoureuse d'un homme inaccessible ? D'un homme qui n'avait d'yeux que pour une jeune femme de la meilleure société, qui tirait les ficelles et portait des robes signées Karl Lagerfeld ! Le bilan était si désespérant qu'Anna poussa un énorme soupir. Elle n'avait aucune chance. Vraiment aucune ! A cette pensée, des larmes lui montèrent de nouveau aux yeux.

Consterné, Grant la dévisagea.

— Ah non, Anna ! Vous n'allez pas vous remettre à pleurer... Et arrêtez de me regarder avec cet air-là !

— Quel air ?

— L'air d'une jeune femme qui désire que je l'embrasse.

— Mais... si j'ai envie que vous m'embrassiez ?

— Alors, je sais comment arrêter vos larmes.

L'instant d'après, la bouche de Grant se posait sur la sienne...

9.

Jamais Anna n'aurait dû s'autoriser ce baiser. D'abord parce que Grant l'embrassait par pitié. Ensuite, parce qu'il était fiancé à une autre... Mais c'était la dernière fois qu'elle se trouvait dans les bras de l'homme qu'elle aimait. Alors, ce soir, la morale n'avait plus d'importance et les convenances ne comptaient plus.

Soudée à la bouche de Grant, la jeune femme cédait au vertige. Non, sa mémoire n'avait pas exagéré le choc sensuel de leur premier baiser. Voici qu'il se renouvelait. Encore plus violent, encore plus enivrant. Ses genoux se dérobaient, comme épuisés par une longue course, l'obligeant à se cramponner au cou de Grant pour rester debout. Quel ouragan venait de se déclencher en elle ! Violent, irrépressible, dévastateur. Chaque sensation, au lieu de l'apaiser, la rendait encore plus avide. Son corps tout entier brûlait de désir.

Au bout d'un moment, Grant releva la tête, et, l'espace d'un instant, Anna crut que tout était terminé. Mais non. Elle continuait à sentir son souffle tiède sur son visage, tandis que de l'index, il suivait la ligne de ses lèvres. Puis, il laissa sa bouche glisser vers la peau sensible de l'oreille, où il se mit à l'embrasser, déclenchant en elle une tempête de sensations voluptueuses.

Par peur de rompre l'enchantement, la jeune femme s'appliquait à demeurer parfaitement immobile. La bouche de Grant effleurait maintenant sa gorge voilée de dentelle, descendait le long de son bras jusqu'à son poignet. Là, il s'arrêta et baisa longuement la peau fine, qui vibrait d'émotion.

Soudain, il releva la tête, laissa retomber la main d'Anna et poussa un long soupir.

— Je suis fou. Il faut arrêter tout cela...

— Que veux-tu dire ?

Spontanément, elle l'avait tutoyé. Il lui répondit de la même manière.

— Tu sais très bien ce que je veux dire. Je n'ai pas compris ce qui m'arrivait quand une gamine en T-shirt décoré d'une araignée m'a troublé au détour d'une rue. Elle ressemblait si peu à l'image que l'on se fait de la femme fatale ! Tu étais si drôle, si dynamique, que tu n'avais pas l'air dangereuse. Je ne me suis pas méfié de toi.

Frissonnante, Anna ne trouva pas le courage d'articuler le moindre mot. Grant continua, d'une voix éteinte.

— Il m'a semblé que je contrôlais la situation, que tout cela n'était qu'un jeu innocent. Jusqu'à ce baiser. Je n'arrêtais pas d'y penser... J'avais de plus en plus envie de recommencer, mais je m'en gardais bien, persuadé qu'entre nous, il ne s'agissait plus d'une plaisanterie. Mais ce soir, tu avais l'air si malheureuse que j'ai voulu te consoler, avec les moyens dont je disposais.

— Et alors ?

— Il faut arrêter. Je sais que ce serait bon de continuer, mais je ne veux pas me lancer dans une aventure trois mois avant mon mariage. Car malgré l'attirance que j'éprouve pour toi, je demeure persuadé qu'Olivia est l'épouse qu'il me faut. Elle sera une collaboratrice parfaite. Ensemble, nous ferons des choses sensationnelles...

Anna regardait Grant avec étonnement. En parlant de son bonheur futur, son visage était devenu étrangement sérieux, presque dur. La flamme qui dansait d'ordinaire dans ses yeux avait disparu. Il était devenu un autre homme, décidé à surmonter tous les obstacles pour parvenir à son but. Et s'il lui fallait pour cela épouser la maîtresse de maison idéale, eh bien, il l'épouserait ! Sans regret, et sans sourciller. Tout en dévisageant Anna, il recula d'un pas.

— Il faudra désormais mettre davantage de distance dans nos relations.

— Et c'est pour marquer cette décision que tu laisses ta main sur mon épaule ? demanda Anna avec impertinence. Tu ferais mieux désormais de m'appeler « professeur Hawkins », tu ne crois pas ?

— Allons, ne fais pas la sotte ! Il existe entre nous une forte attirance physique, et le genre de camaraderie amoureuse que nous entretenons me paraît dangereux. Il faut y mettre fin, et je compte sur toi pour jouer le jeu.

Grant arborait une expression sévère, menaçante même. Anna se sentit démunie face à ce nouveau personnage. Dieu, que cet homme était donc désagréable quand il oubliait son entrain habituel pour jouer les hommes d'affaires ! Il devenait lugubre...

D'une voix déterminée, il reprit :

— Je crois que nous n'avons plus rien à nous dire à ce sujet.

Et sans un mot de plus, il tourna les talons et quitta la terrasse.

L'écho de son pas résonna longtemps sur le carrelage. Sinistre. Abominablement sinistre.

10.

La discussion avec le Pr Edwards avait tellement bouleversé Anna qu'en se réveillant le lendemain matin, il lui sembla avoir depuis longtemps rompu avec Jake. Hélas, il n'en était rien. Comment allait-elle lui annoncer sa décision? Elle voulait être ferme, mais en même temps ménager la fierté de son ex-fiancé. Ce n'était pas facile...

La sonnerie du téléphone l'obligea à se lever avant d'avoir trouvé la solution à son problème. Jake était au bout du fil. En entendant sa voix morne, accablée, Anna dut faire un effort pour parler.

— Comment vas-tu? fut tout ce qu'elle put articuler.

Maintenant qu'elle était au courant de son mensonge, elle se sentait incapable de simuler l'inquiétude à propos de son entretien.

— Très mal, répondit aussitôt Jake. J'ai perdu mon temps en allant à Birmingham, les jeux étaient faits d'avance. Ferguson était leur poulain et les entretiens n'ont eu lieu que pour la forme.

— Je suis désolée...

La voix de la jeune femme manquait de la sympathie affectueuse à laquelle il était habitué. Cela inquiéta Jake.

— Tu es bizarre ce matin... Qu'est-ce qui se passe?

Anna n'avait pas prévu de lui dire si vite la vérité. Mais continuer à lui parler comme si rien ne s'était passé était au-dessus de ses forces. Elle se lança donc.

— Je... Jake, j'ai bien réfléchi. Je ne crois pas que ça puisse marcher entre nous.

Les minutes qui suivirent furent abominables. Purement et simplement. Après un moment d'incrédulité, Jake se mit à accuser Anna de manquer de tact, puis d'être carrément perverse. Il fallait vraiment qu'elle fût machiavélique pour lui assener un coup pareil alors qu'il sortait d'un entretien de haut niveau, très éprouvant. Anna fulminait... Il mentait avec un aplomb incroyable !

Malgré toutes les tentatives de Jake qui lui demandait de remettre en question sa décision, la jeune femme demeura inébranlable, s'étonnant elle-même de la fermeté dont elle faisait preuve. En fait, la vraie raison de cette rupture, c'est qu'elle était tombée amoureuse d'un autre homme. Or, par respect pour Grant qui souhaitait toujours épouser Olivia, c'était la seule raison qu'elle ne pouvait pas invoquer. Finalement, à bout d'arguments, Jake conclut leur conversation en lui promettant de venir la voir le plus tôt possible. Evidemment, il avait l'intention d'essayer de la faire changer d'avis, mais Anna n'avait rien d'une girouette. Sa décision était prise, et bien prise.

Après toutes ces émotions, elle reprit ses études sur le terrain, heureuse pour une fois malgré les conditions de travail difficiles. A défaut de le lui faire oublier, cet éloignement lui permettait au moins de ne pas rencontrer Grant. De son côté, il devait l'éviter également, car lorsqu'elle retournait dans son bureau afin de rédiger ses comptes rendus, c'était toujours Olivia qu'elle croisait. La belle Olivia. Toujours distante, toujours élégante, toujours impeccable. Anna en venait à se demander si, finalement, Grant n'avait pas fait le bon choix.

Un jour qu'elle venait donner à manger à William, elle eut la mauvaise surprise de trouver Jake dans le hall d'Arrowmead. Le cheveu noir parfaitement lissé, les lunettes cerclées d'écaille sur le nez, il incarnait parfaitement l'image qu'on se fait du savant raisonnable et posé. Anna fut fort contrariée de cette visite.

— Que fais-tu ici ? demanda-t-elle sans ménagement.

— Je suis venu te chercher. Tu m'as paru un peu nerveuse au téléphone l'autre jour. Ta tante m'a dit que tu travaillais beaucoup, et j'ai pensé que si je te donnais un petit coup de main, cela te ferait gagner du temps.

Gagner du temps ! Anna avait envie de rire. Le temps de qui ? Elle ne le savait que trop maintenant... Inutile d'attendre plus longtemps pour mettre un point final à cette prétendue collaboration... Elle entraîna donc Jake dans son bureau pour effectuer cette pénible mise au point. La discussion fut aussi désagréable que prévu. D'abord sceptique, puis exaspéré, Jake se répandit enfin en reproches venimeux.

— Tu refuses de voir combien j'ai investi dans notre travail en commun ! Tu me rejettes, alors que personne n'est capable de distinguer ta participation de la mienne dans nos publications... Si je dois travailler seul maintenant, il me faudra couvrir un secteur de recherche entièrement nouveau, et c'est impossible à mon âge, tu le sais aussi bien que moi.

Anna renonça à rétorquer qu'il était bien le seul à ne pas pouvoir faire la part de leurs productions personnelles, mais à quoi bon ? Il lui faisait pitié. Un instant, elle fut même tentée d'accepter son concours sur le projet actuel. Histoire de le dépanner en attendant autre chose... Heureusement, son instinct lui souffla de n'en rien faire. Et après tout, quitte à lui faire passer un mauvais moment, autant en profiter pour lui transmettre le conseil du Pr Edwards...

— Tu n'as jamais songé à abandonner la carrière universitaire ? lança-t-elle à brûle-pourpoint.

A la tête que fit Jake, elle comprit immédiatement que cette idée saugrenue ne lui était jamais venue à l'esprit. Il parut même très offensé.

— Comment peux-tu avoir l'indécence de me poser une question pareille ? Jamais de la vie, je suis passionné par ce que je fais ! D'ailleurs, je m'intéresse beaucoup à la recherche que tu conduis ici, et j'apprécierais vivement d'y jeter un coup d'œil.

« Quelle barbe ! » se dit Anna. Enfin, si cette concession pouvait lui permettre de se débarrasser de lui plus facilement, pourquoi pas ?

— Pas de problème. Voici le dossier. Regarde-le pendant que je vais voir M. Mallett.

Inutile de lui expliquer qu'en fait, elle allait s'occuper de William ! Rapidement, elle se dirigea vers le bureau de Grant. Ah... Si seulement il était là ! Elle mourait d'envie de renouer avec les conversations et les plaisanteries auxquelles il l'avait accoutumée.

Hélas, dès qu'elle approcha du bureau de la secrétaire qui avait l'air totalement débordée, la voix de Grant résonna dans l'Interphone, autoritaire et impatiente.

— J'attends toujours le document que je vous ai demandé !

— Excusez-moi, monsieur, j'ai été dérangée...

— Eh bien, dépêchez-vous de rattraper le temps perdu !

Quelle tension ! Comment la pauvre Jenny pouvait-elle supporter cette ambiance ?

— Rassurez-vous, expliqua Anna, je n'ai pas l'intention de l'importuner.

Elle poussa la porte. Grant leva le nez de ses papiers en fronçant les sourcils.

— Tu sais que tu me déranges ?

Anna serra les lèvres et répondit d'un ton sec :

— Je suis seulement venue donner à manger à William. Ce n'est pas parce que tu ne veux plus flirter avec moi qu'il va se nourrir de l'air du temps.

— Alors fais vite...

— Avec plaisir ! rétorqua-t-elle. Tu es toujours comme ça, maintenant ?

— Comme quoi ?

— Impatient et d'une humeur massacrante.

— J'ai pris du retard dans mon travail. Je me fais du souci.

Il se leva, repoussa sa chaise et s'avança vers la jeune femme.

108

— Je ne sais pas comment faire démarrer mon affaire. Avant d'investir quoi que ce soit, chacun veut être sûr de récupérer sa mise. C'est un cercle vicieux, et je perds mon temps et mon argent. Tu n'aurais pas une idée pour m'aider à en sortir ?

Anna hésita un instant. Fallait-il vraiment dire ce qu'elle pensait ? Peut-être pas... Tant pis !

— Franchement, Grant, je crois que tout cela ne te donnerait pas autant de souci si tu n'avais pas conscience de consentir au sacrifice suprême pour faire évoluer ton affaire.

Les yeux bleus étincelaient.

— C'est-à-dire ?

— Le sacrifice de ton bonheur.

— Tu te trompes complètement. Ma vie est exactement ce que je veux qu'elle soit.

Le ton était funèbre. Au diable la prudence ! Au diable les bonnes manières ! Anna insista.

— Non, tu n'es pas heureux, ça crève les yeux.

— Si tu t'occupais de tes affaires ?

— C'est fait ! Je t'annonce que je viens de rompre avec Jake.

— Félicitations...

— C'est comme si je sortais de prison. Mais toi, apparemment, tu y es encore, et tu ne veux pas le voir.

Grant demeura parfaitement calme.

— Je crois que tu te laisses emporter. C'est une bonne chose que tu aies rompu tes fiançailles. Cet homme ne t'arrivait pas à la cheville. Mais ma situation est complètement différente. Je n'en suis pas à ma première expérience amoureuse, contrairement à toi, et je sais reconnaître la femme qui me convient à coup sûr.

C'était une leçon de morale ! Voilà que Grant devenait aussi ennuyeux que Jake. Il était même pire, avec cet air pédant qu'il affichait pour faire ressortir son inexpérience à elle. Mais pouvait-il vraiment se permettre de la traiter avec mépris ? Anna en doutait fort.

— Disons qu'à cause de mon inexpérience, je ne voyais pas que j'allais être frustrée toute ma vie. Alors que toi, grâce à ta vaste connaissance des femmes, tu as décidé qu'être frustré toute sa vie n'avait pas grande importance...

Le visage de Grant se durcit encore. Ses yeux avaient l'éclat, mais aussi la dureté du saphir. Sa mâchoire contractée, ses lèvres serrées lui donnaient presque l'air cruel.

— Si nourrir cette araignée implique que tu me déranges, il faudra m'en débarrasser. Si c'est impossible, tu viendras le matin avant sept heures. Compris ?

Anna frissonna sous ce regard plein de colère.

— Parfaitement.

— Tu as terminé ?

— Oui.

— Bon, alors laisse-moi travailler.

Anna ne prit même pas la peine de lui dire au revoir. La tête haute, elle quitta la pièce sans se retourner.

11.

Malgré sa hâte de rentrer chez elle, Anna estima plus correct d'aller saluer Jake avant de partir. Rupture n'impliquait pas grossièreté, après tout. A sa grande surprise, elle le trouva en train de discuter avec Olivia, qui lui demandait de son inimitable voix rauque :

— Ainsi, vous estimez possible de planter des espèces rares à cet endroit ?

— Oui. La seule difficulté est de se procurer les plants eux-mêmes..., répondait Jake lorque Olivia aperçut Anna.

Aussitôt, elle lança :

— Votre ami vient de me rassurer. Le projet de Grant suscite tant de jalousies... Qu'est-ce qui empêcherait un de ses concurrents de planter quelques variétés protégées et de les saboter ensuite afin de remettre en question la localisation du parc ? Heureusement, Jake me dit qu'elles ne se laissent pas si facilement transplanter.

Anna eut à cœur de la tranquilliser aussi.

— Rassurez-vous. Ces espèces font toujours partie d'un environnement bien précis, qu'il serait impossible de transférer totalement. Et au cas où il se passerait quelque chose d'insolite, je serais certainement à même d'élucider l'affaire avant que le dossier du parc ne soit soumis à la demande d'autorisation.

Olivia parut rêveuse.

— Je vois... En tout cas, j'aime penser que ce parc sera un havre pour les espèces menacées de disparition. C'est ce à quoi Grant tient par-dessus tout.

Sur ce, elle adressa un sourire étincelant à Jake qui parut totalement ébloui, et reprit en se tournant vers Anna :

— Votre ami m'a expliqué qu'il est actuellement en attente d'un poste. Je vais profiter de sa disponibilité pour lui demander de travailler cette question. Bien entendu, nous sommes prêts à payer comme il se doit un expert de son niveau.

A cette mention, le visage de Jake s'illumina. Olivia continua d'un air entendu :

— L'Université a le chic pour laisser filer les gens de valeur. C'est bien dommage pour elle. Et tant mieux pour nous ! En tout cas, je ne manquerai pas de parler de vous à Rupert Matheson.

— Le patron de Glomac ?

— Oui, je suis sûre qu'il vous trouvera quelque chose d'intéressant.

Jake jeta un regard de triomphe en direction d'Anna avant de se répandre en remerciements à l'adresse d'Olivia. Puis, elle ajouta d'une voix suave :

— J'espère que votre petit différend personnel ne vous empêchera pas de collaborer...

C'en était trop ! Anna rassembla le peu de bonnes manières qu'il lui restait et s'excusa prestement. Impossible de supporter ces deux êtres une minute de plus !

Tout en pédalant rageusement sur le chemin du retour, elle se demandait quel intérêt pouvait bien trouver Olivia à flatter ainsi ce minable de Jake... Car, bien sûr, elle n'était pas du genre philanthrope ! Mais le souvenir de la rudesse de Grant lui fit oublier ce détail. Ce détail, et l'étrange conversation qui avait précédé.

Au cours des jours qui suivirent, Anna n'eut pas l'occasion de parler à Grant. Parfois, elle le croisait en rentrant à Arrowmead. Poli, distant, et toujours soucieux. Il n'ouvrait la bouche que pour donner des ordres ou faire des reproches au personnel. Quel changement en lui! Mais après tout, s'il avait besoin de se transformer en bourreau de travail pour assumer les choix qu'il avait faits, libre à lui! Elle ne s'en mêlerait plus.

La jeune femme leva un regard préoccupé vers les nuages qui s'amoncelaient au-dessus des roseaux. Quelques gouttes de pluie s'écrasaient déjà à la surface du lac. Le vent se mettait à souffler et un éclair déchira l'horizon. En toute hâte, elle enregistra quelques remarques complémentaires sur son petit magnétophone et le rangea dans sa poche. Le mauvais temps ne lui permettrait pas d'en faire davantage aujourd'hui. Mieux valait rentrer au bureau et avancer son rapport de synthèse.

Une envie de café bien chaud l'incita à pénétrer dans le centre par l'entrée de derrière où se trouvait un distributeur de boissons. Finalement, Grant en avait tout de même fait installer un... Comme elle fouillait dans sa poche à la recherche de la monnaie nécessaire, des voix parvinrent jusqu'à elle. Elle reconnut celle de Grant. Fatiguée, morne. Découragée.

— Désolé, Olivia. Si tu m'en avais parlé il y a quelques mois, j'aurais pu m'arranger autrement, mais maintenant, tout mon capital est immobilisé. Qui plus est, il faudra au moins cinq ans, probablement dix, pour que le parc commence à rapporter.

Olivia protesta d'une voix aigre.

— Mais, Grant, si mes affaires ne marchent pas bien, c'est parce que je suis restée ici au lieu de me rendre à Paris. A cause de toi, j'ai manqué les défilés les plus importants.

Un silence. Puis, Grant reprit :

— Je ne te savais pas aussi intéressée par la mode... Il me semblait que tu avais choisi de t'investir davantage dans notre projet. Au point où j'en suis, si je t'apportais l'aide que tu me demandes, cela reviendrait à mettre en cause l'existence du parc. Tu comprends bien que l'enjeu est trop grave pour que je puisse te donner une réponse entre deux portes, au moment où je me prépare à partir pour New-York.

Malgré elle, Anna suivait la conversation. Décidément, tout n'allait pas pour le mieux entre les deux fiancés...

Olivia se taisait toujours. Grant continua de la même voix lasse :

— Je comptais te proposer de prendre la responsabilité d'Arrowmead pendant mon absence, mais ce que tu viens de me dire remet cela en question. Si tu pars pour Londres reprendre ton magasin en main, tu arriveras sans doute à redresser la situation, mais c'est un choix incompatible avec ta présence à Arrowmead.

— Je ne sais pas si... A vrai dire, je pense que le responsable actuel est capable de gérer la situation pour l'instant. Si je prends Arrowmead en charge, j'imagine que tu me payeras à temps complet. Ce sera toujours mieux que rien. Et puis, je ne veux pas que tu te fasses de souci pendant que tu seras à l'étranger. Ce qui se joue ici est tout de même plus important que ma boutique.

— Cela me gêne... Tu as déjà tellement fait ici !

— J'insiste. La question est réglée, n'y pense plus.

Grant eut un petit rire contraint.

— Ecoute, j'accepte. Tu es vraiment très dévouée de prendre en charge cette responsabilité. Je te promets que, dès mon retour, je trouverai quelqu'un pour te remplacer afin que tu disposes de davantage de temps pour ton magasin.

Enfin, le couple s'éloigna au grand soulagement d'Anna qui put regagner son bureau. A peine avait-elle eu le temps de sortir ses dossiers que Grant fit son apparition, impatient et courroucé.

— Où diable étais-tu passée ?

— Oh, je faisais tout simplement trempette dans un marécage, sous la pluie, bien sûr !

— Eh bien, tu aurais mieux fait d'y rester plutôt que d'embaucher cet incapable !

— Ce n'est pas moi qui l'ai fait ! se rebiffa Anna.

— Je vois que tu as tout de suite compris de qui je parle ! Je croyais que vous aviez rompu, alors que vient-il faire ici ?

— Effectivement, nous avons rompu. Et c'est Olivia qui l'a engagé.

Stupéfait, Grant dévisagea la jeune femme.

— Olivia ! Mais, grands dieux, pourquoi ?

— Il paraît qu'elle a besoin de ses conseils pour rassembler des espèces rares. Du moins, c'est ce que j'ai compris.

Grant avait l'air de plus en plus contrarié.

— Il vaudrait bien mieux s'occuper de ce qui existe déjà ! Pourquoi ne le lui as-tu pas dit ?

— De quel droit ? Qui suis-je donc pour me mêler des projets que tu fais avec la femme de ta vie ?

Grant ouvrit la bouche, puis la referma sans mot dire. Un peu calmé, il reprit :

— Allons, elle a cru faire pour le mieux. Après tout, je ne pense pas qu'il puisse être réellement nuisible pendant mon absence...

— Ton absence ? reprit Anna en écho, se souvenant à temps qu'elle n'était pas censée être informée du voyage projeté.

— Je pars sillonner les Etats-Unis pendant un mois pour y rencontrer des investisseurs potentiels.

Un mois ! Un mois sans voir Grant... Cela paraissait impossible !

— Et... Si jamais il y a un problème ?

— Tu aviseras avec Olivia. C'est elle la responsable en mon absence et elle saura où me joindre.

Anna hocha la tête. Un long silence s'ensuivit. Grant paraissait hésiter. Enfin, il déclara :

— J'espère que tout ira bien. A bientôt.

Et, au grand étonnement de la jeune femme, il se pencha sur son oreille et lui glissa à voix basse :

— Ne profite pas de mon absence pour te fiancer de nouveau.

✻✻

La semaine suivante se passa sans encombre. C'est à peine si Anna aperçut Jake, qui travaillait à l'autre bout de la propriété, sur un emplacement qu'elle connaissait déjà.

Le vendredi soir, alors qu'elle regagnait Arrowmead, crottée comme à son habitude, Olivia l'attendait sur le pas de la porte et l'invita à la suivre dans le bureau de Grant. Une fois installée derrière la table, elle croisa ses mains parfaitement manucurées en fronçant les soucils.

— Anna, je suis un peu gênée d'avoir à vous annoncer cela, mais il va falloir que vous abandonniez votre mission.

— Quoi ?

— Vous avez bien entendu. Je la confie à Jake à partir de la semaine prochaine. Il a découvert dans le petit canal où vous êtes tombée il y a quelque temps divers insectes rares et deux plantes menacées de disparition. Apparemment, cela vous a échappé lors de votre observation.

Elle glissa sous le nez d'Anna une feuille de papier sur laquelle se trouvait une liste de noms latins, mais la retira avant que la jeune écologue, atterrée, n'ait le temps de la lire attentivement.

— Grant était sans doute moins exigeant que moi sur la qualité du travail. Comme il me semble que, depuis le début, vous rechignez à vous rendre sur le terrain, désormais, vous pourrez chercher un emploi plus gratifiant. Bien entendu, vous serez correctement indemnisée.

Anna était à deux doigts de s'étrangler de rage. Partir ? Oui, bien sûr, elle en rêvait ! Mais pas en laissant le travail à moitié fait. Jamais cela ne lui était arrivé ! D'ailleurs, elle ne comprenait pas. Jamais de sa vie Jake n'avait effectué un travail aussi soigné que le sien. Que se passait-il donc ?

— C'est impossible que je n'aie pas remarqué tout cela.

— Et comment expliquez-vous que Jake ait effectué

116

ces découvertes dans une zone que vous avez qualifiée de banale ?

— Je ne l'explique pas. Je peux seulement vous affirmer que j'ai travaillé avec autant de sérieux que d'habitude et que ce que vous dites me surprend beaucoup.

— Cette excuse me paraît un peu légère...

Anna se mordit la lèvre de dépit. Être mise à la porte par Olivia, quelle honte ! Dieu sait ce que cette peste allait raconter à Grant... Qu'elle n'avait pas fait son travail correctement ou bien que, profitant de son absence, elle avait tout laissé tomber ? Il fallait en avoir le cœur net.

— Grant est-il au courant de votre décision ?

— Bien sûr ! Je lui ai expliqué la situation, et il m'a chargée de prendre les mesures qui s'imposaient. Vous l'avez beaucoup déçu, je ne vous le cache pas.

— Je... je suis sûre qu'il y a erreur...

— Je crois, hélas, que la seule erreur vient de vous. Vous avez eu le tort d'accepter une mission au-dessus de vos compétences. Vous n'êtes pas sans savoir que les enjeux dans cette affaire sont énormes, et nous sommes très contrariés de découvrir votre manque de sérieux. Le projet aurait pu échouer par votre faute !

— Je... Y a-t-il autre chose ?

— Oui, lança Olivia, de la haine plein les yeux. N'oubliez pas votre horrible tarentule !

Anna ne se le fit pas dire deux fois. Cachant sa fureur de son mieux, elle alla aussitôt récupérer William et fila. Mais Grant ne s'en tirerait pas à si bon compte ! Dès son retour, il aurait de ses nouvelles...

La colère donnait à la jeune femme des forces surhumaines. C'est donc les poings serrés qu'elle débarqua dans la cuisine de sa tante, la boîte en verre de William sous le bras. Sans sourciller, elle informa la brave dame que, désormais, son protégé ferait partie de la maisonnée. Harriett essaya de protester. Avec colère. Avec éloquence. Mais rien n'y fit. Anna se contenta de répéter que, envers et contre tout, William resterait dans sa chambre.

En montant l'escalier, elle ne put s'empêcher de penser avec un soupir : « Ah... Si toutes les batailles se gagnaient aussi facilement ! »

12.

Anna passa les deux semaines suivantes à exercer le métier de ses rêves. Elle avait trouvé un emploi de secrétaire chez un antiquaire, ami de Joyce, qui ne s'intéressait ni à la faune, ni à la flore. Chaque jour, elle arborait les beaux vêtements achetés pour Arrowmead, tapait le courrier à une vitesse respectable, répondait aimablement au téléphone et lisait *Vogue* dans ses moments creux, qui étaient nombreux.

Une seule ombre au tableau, dans ce cocon rassurant : Anna s'ennuyait. Ferme. Elle s'ennuyait à mourir.

Grant ? Elle l'avait oublié. Enfin... presque. De toute manière, il se mariait dans moins d'un mois. En fait, elle était toujours furieuse contre lui, à cause de la désinvolture dont il avait fait preuve à son égard. Parfois, elle pensait avoir été victime d'une histoire montée de toutes pièces pour la mettre à la porte. La minute suivante, elle se traitait de paranoïaque. Mais tout de même, c'était bizarre. Vraiment bizarre.

Sans entrain, elle revint aux travaux ennuyeux qui lui étaient confiés, tria le courrier, tapa une lettre, et se retrouva une fois de plus désœuvrée derrière son bureau. Que faire ? Du thé, bien sûr. Brûlant, qu'elle se servirait dans une tasse de porcelaine fine, en pensant sans regret aux bouteilles Thermos de l'époque héroïque...

Sa tasse à la main, elle s'installa face à la pile de revues. Elle les connaissait toutes par cœur... En désespoir de cause, elle se résolut à attraper le *Financial Time* et se mit à le feuilleter. Ses yeux furent immédiatement attirés par un article concernant l'industrie de la mode en Grande-Bretagne, qu'elle entreprit de lire avec soin. Le journaliste analysait les différents facteurs qui avaient fait le succès de certaines maisons de couture et détaillait les points faibles de celles qui étaient en perte de vitesse.

Parmi ces dernières figurait en bonne place celle d'Olivia Saint-Clair, à qui il consacrait un paragraphe acerbe. Selon lui, cette jeune femme était le parfait exemple de ces gens qui voulaient réussir grâce à leurs relations, là où les autres percent à force de travail et de talent. Sa tactique l'avait amenée au bord de la banqueroute et elle ne survivait que grâce à un récent apport de capital qui, toujours selon le journamiste, ne faisait que retarder une chute certaine.

Anna soupira. Pas étonnant que la fiancée modèle ait autant harcelé Grant pour qu'il fasse rapidement des bénéfices. Pas étonnant non plus que, soudain, elle se soit autant intéressée au médicament amazonien... Pauvre Grant, qui croyait qu'elle partageait son idéal humanitaire ! Pourtant, ce qui ressortait de cette lecture était que, finalement, il avait décidé d'aider Olivia, quitte à mettre en danger son propre projet.

D'un geste découragé, Anna replia le journal. Lava sa tasse. Se refit du thé. Arrangea pour la dixième fois la pile de catalogues destinés à la clientèle. Cette fois, elle les disposa artistiquement en forme d'éventail. Mais après cela, elle n'avait de nouveau plus rien à faire. Rien du tout !

Alors, elle reprit le journal et l'ouvrit à une autre page. Un gros titre la laissa bouche bée d'horreur. « Difficultés financières pour le parc scientifique prévu à Arrowmead. » L'article dévoilait que les investisseurs étaient devenus méfiants depuis que l'environnementaliste chargé de l'étude, le Pr Jake Parry, avait repéré divers spécimens rares d'insectes et de plantes dans la zone

120

concernée, en particulier un roseau extrêmement rare, le Savi Warbler. Cette découverte risquait de remettre en question l'autorisation d'installation dans un secteur qui serait probablement converti en réserve naturelle. Les spécialistes financiers s'avéraient extrêmement pessimistes quant à la survie du projet.

Anna se mordit la lèvre. Comment Jake, qui n'avait jamais rien découvert, aurait-il pu s'apercevoir de la présence d'un Savi Warbler ? Il se passait quelque chose de grave...

Tout à coup, la conversation qu'elle avait entendue entre Olivia et Matheson lui revint à la mémoire. « On ne sait jamais ce qui peut ressortir de ces études environnementales... », avait dit le patron de Glomac. Ces mots contenaient une menace implicite à laquelle Anna n'avait alors pas prêté attention. Si Olivia était passée à l'acte ? Elle en était bien capable... Quant à Jake, il était tellement désireux de trouver un travail qu'il était prêt à tout pour l'obtenir. Et, pourquoi pas, à trafiquer l'étude d'impact environnemental ? Cette idée était insupportable à la jeune femme. Si jamais on sabotait son travail, il fallait au moins qu'elle le sache.

Aussitôt, elle appela Arrowmead. Un répondeur téléphonique lui dit que M. Mallett était absent. Bien sûr. Que faire ? Rencontrer Olivia. Dès la fermeture du magasin, Anna enfourcha son vélo et fila jusqu'au centre.

Olivia la reçut sans enthousiasme, mais sans difficulté.

— Que me vaut l'honneur de votre visite ? demandat-elle en retenant un bâillement.

— J'ai lu l'article du *Financial Times*.

— Oui. Et alors ?

— Tout cela me paraît fort étrange. Vous ne pensez pas que l'on cherche à nuire à Grant ? Je me demande si ces espèces rares n'ont pas été importées à dessein...

Le beau visage se durcit.

— Dites tout de suite que vous soupçonnez mon collaborateur !

Bon. La belle blonde protégeait Jake. Anna opta pour davantage de prudence.

— Les problèmes d'identification sont fréquents dans notre métier. Mais il est facile de vérifier si ces plantes sont dans leur terreau d'origine ou pas. Une comparaison entre la terre des racines et celle du terrain environnant nous donnera très vite la réponse. Et je parie qu'elles sont de nature différente.

Olivia tapota le bureau avec ses ongles de star.

— Si vous avez raison, c'est une excellente nouvelle ! Toutefois, mieux vaut ne pas redonner trop rapidement espoir à Grant. Il risquerait d'être amèrement déçu. Attendons d'être sûres de ce que vous dites pour l'informer.

— Raison de plus pour commencer cette étude tout de suite. Jake a dû dresser une carte détaillée du secteur où il a effectué ses découvertes, je vais déjà voir si l'on peut repérer quelque chose de suspect.

Olivia contempla un instant ses ongles carminés.

— Non. Vous êtes trop concernée par cette affaire pour intervenir de manière impartiale. Après tout, ces découvertes remettent en cause votre compétence professionnelle, n'est-ce pas ? Il vaut donc mieux faire appel à un autre expert. Vous pourriez tenter de sauver votre réputation en faisant de faux prélèvements ou en détruisant les plantes... On n'est jamais trop prudent.

— Quelle suggestion ridicule ! explosa Anna.

Olivia haussa les épaules.

— J'espère que vous me comprendrez... Au fait, je dois aussi vous interdire de vous rendre sur le site.

C'était le bouquet ! Décidément, cette péronnelle ne lui épargnait aucune humiliation. Anna décida soudain qu'elle en avait assez entendu. Tournant les talons, elle sortit sans un mot de plus.

Mais avant de quitter Arrowmead, bien décidée à mettre la main sur la carte qu'Olivia venait de lui refuser, la jeune écologue fila dans son bureau, maintenant occupé par Jake.

Ce fut un jeu d'enfant de la retrouver, mais le plus difficile restait à faire : la photocopier sans se faire repérer. La peur au ventre, Anna mit la machine en marche. Elle grinçait abominablement à chaque passage, mais personne ne vint la déranger. Cinq minutes plus tard, le cœur battant, Anna quittait les locaux, son précieux butin caché au fond de la poche de son blouson.

Toute la soirée, Anna vérifia dans ses livres les caractéristiques des espèces découvertes par Jake et celles de leur environnement. Puis, avec une grimace, elle régla son réveil sur cinq heures. Elle avait horreur de se lever de bonne heure, mais le jeu en valait la chandelle...

Le lendemain, elle pédala vaillamment jusqu'au petit bois qui longeait la voie d'eau. L'épais tapis de feuilles mortes étouffait tous les bruits, ce qui créait une atmosphère vaguement inquiétante, d'autant plus que la route se perdait au milieu des arbres qu'enveloppait le brouillard matinal.

« Peu importe l'ambiance ! se dit Anna. On n'est pas au cinéma. » Ce qui comptait, c'était la tâche qu'elle avait à accomplir. Après avoir posé son vélo contre un bouleau, elle déplia la carte de Jake afin de se situer avec précision.

Un frisson glacé la secoua soudain. Elle venait tout à coup de se souvenir avec une acuité inouïe que, dans sa hâte, elle avait oublié l'original de la carte sur la photocopieuse... Que se passerait-il quand on la découvrirait ? Allait-on la suspecter d'être venue ici ? La forêt lui parut soudain pleine de craquements menaçants, de bruits inquiétants. Peut-être l'avait-on suivie ? Anna se retourna d'un bloc, le cœur battant la chamade, persuadée de se trouver nez à nez avec quelqu'un. Mais le bruit qu'elle avait entendu n'était qu'une branche poussée par le vent qui frottait contre le tronc d'un arbre. Elle eut un petit rire nerveux et se mit au travail.

Les plantes repérées par Jake étaient bien là. Mais fanées, rabougries. Elle prit plusieurs photos et préleva des échantillons du sol en différents endroits. Bien sûr, pas le moindre Savi Warbler à l'horizon. Ni aucun des insectes signalés. Cela ne l'étonna pas le moins du monde. Jake avait pris ses désirs pour des réalités. Si l'on voulait dire les choses gentiment...

Au bout d'un moment, il ne lui resta plus qu'un seul endroit à contrôler. Suivant attentivement la carte de Jake, elle s'avança dans le sous-bois, escaladant les arbres morts qui entravaient sa marche. De temps à autre, il lui semblait entendre des craquements bizarres, mais persuadée que son imagination lui jouait des tours, elle n'y prêta pas attention.

Enfin, elle déboucha dans la petite clairière indiquée. Sans hésiter, elle s'agenouilla auprès du feuillage fané de ce qui avait été une orchidée royale. C'est alors qu'elle reçut un coup violent sur la tête.

Instantanément, tout devint noir.

13.

Lorsqu'elle reprit conscience, Anna se trouvait dans une pièce qu'elle ne connaissait pas, allongée sur un matelas poussiéreux, les chevilles attachées et les poings liés derrière le dos. Au-dessus de sa tête, le toit mansardé laissait supposer qu'elle était dans un grenier, mais où ? Une douleur lancinante lui martelait le crâne, et ses bras coincés dans leur inconfortable position la faisaient cruellement souffrir. On ne l'avait pas bâillonnée, ce qui était plutôt agréable, mais prouvait certainement que crier ne servirait à rien.

Le soleil entrait à flots par une lucarne située dans le mur opposé. Combien de temps était-elle restée inconsciente ? Elle n'en avait pas la moindre idée. Allongée sur le côté, elle essaya péniblement de reconstituer le fil des événements, mais elle était fatiguée... si fatiguée. Malgré elle, ses yeux se fermèrent et elle sombra dans un profond sommeil.

Lorsqu'elle s'éveilla, la pièce baignait dans la pénombre. Son dos, ses épaules, son cou, son corps tout entier était si douloureux qu'on eût dit qu'un bourreau consciencieux l'avait flagellée des pieds à la tête avec des fils de fer chauffés à blanc. Toujours aucun signe de ses ravisseurs. Que faire, sinon attendre ? De nouveau, elle s'endormit.

Quelque chose de lourd qu'on jetait sur le lit à côté d'elle la réveilla en sursaut. Un bruit de serrure... A côté d'elle, on respirait ! Ses agresseurs avaient fait une nouvelle victime ! Coincée contre le mur par ce corps inanimé, elle se trouvait dans une position encore plus inconfortable que tout à l'heure. Impossible même de se rendormir.

Lentement, l'obscurité fit place à la grisaille du petit matin. Elle scruta les traits de son compagnon d'infortune. C'était Grant...

Ses cheveux blonds étaient collés, formant une grande tache brune. Du sang, probablement. Une barbe de plusieurs jours envahissait son visage émacié. Quel choc ! Que lui était-il donc arrivé ? Comme elle, il était pieds et poings liés, et il aurait au réveil la plus belle migraine de sa vie.

Pourtant, il ouvrait les yeux, et son regard, d'abord égaré, croisa celui de la jeune femme.

— Anna ?

— Oui. Comment te sens-tu ?

— Anna...

Il roula tout contre le corps de sa compagne et se mit à l'embrasser comme un fou. Le menton de Grant piquait le visage de la jeune femme, mais sa bouche était si douce... Anna se laissa faire sans rien comprendre. Ils s'étaient quittés plutôt en mauvais termes, et se retrouvaient maintenant ficelés sur le même lit... Tout cela était pour le moins étrange. Au bout d'un moment, Grant s'écarta d'elle et parut prendre conscience de la situation.

— Anna, que se passe-t-il ?

— Désolée, mais je n'en ai pas la moindre idée. Tout ce que je sais, c'est que j'ai reçu un coup sur la tête alors que je prélevais un échantillon de terre. Et toi, je te croyais à New York ?

— J'y étais. Mais quand j'ai lu l'article dans le journal, j'ai sauté dans le premier avion pour Londres. Les actions se sont déjà effondrées...

Puis, comme si tout à coup la mémoire lui revenait, il dévisagea Anna d'un air glacial.

126

— Olivia m'a dit que tu avais démissionné.

— Elle... Quoi ? Répète !

Les yeux écarquillés, Grant la regardait d'un air ahuri. Cette Olivia ne manquait pas de culot, songea Anna, qui s'étranglait presque de rage.

— Mais c'est elle qui m'a licenciée ! Après m'avoir accusée d'incompétence, et soupçonnée de malhonnêteté...

Un sourire amusé dansait maintenant sur les lèvres de Grant.

— Ce qui fait que, au lieu de rentrer tranquillement chez toi...

— Oui. Il fallait que je sois sûre, tu comprends ?

Grant fronçait les sourcils.

— Tu penses donc que ces espèces ont été délibérément plantées sur le site ?

— On dirait une mise en scène destinée à décourager les investisseurs.

— Ma chère ! Tu es digne du grand Holmes !

— Hélas non ! J'aurais dû me méfier beaucoup plus tôt. Je savais qu'Olivia devait présenter Jake à Matheson. Cela aurait dû suffire à me mettre la puce à l'oreille.

— Je n'étais pas très coopérant !

Comme autrefois, son regard pétillait. A croire que l'aventure, même rude, lui réussissait mieux que les fax et l'air climatisé !

— Si nous essayions de sortir d'ici ? Il suffit de nous détacher...

— Tout simplement ! plaisanta Anna.

Sans relever l'ironie, Grant continuait :

— Et après, nous irons prendre un bon petit déjeuner avant de retourner chercher des échantillons de terrain !

— « Nous » ?

— Bien sûr ! La fête ne fait que commencer.

— Excuse-moi, mais recevoir des coups sur la tête ne fait pas partie de mes passe-temps préférés...

— Raison de plus pour me suivre !

— Volontiers ! Simple détail : comment je fais pour me détacher ?

— Tu te tournes, et je vais défaire tes liens avec mes dents.

— Mais c'est impossible !

— Pas du tout. Je l'ai déjà fait, en Amazonie.

En effet, au bout de quelques interminables minutes, Grant s'exclama :

— Cette fois, je crois que c'est bon !

Effectivement, en tirant d'un coup sec, Anna se libéra de ses liens. Mais sortir de cette ankylose s'avérait extrêmement douloureux. Elle était libre, mais des picotements d'une violence inouïe la torturaient. Elle se tourna vers Grant qui lui parut en piteux état. Vite, il fallait l'aider, au lieu de s'apesantir sur son sort ! Elle sauta du lit, se massa les bras et les mains un moment avant de recouvrer l'usage de ses doigts gourds et gonflés. Puis elle entreprit de libérer son compagnon. L'opération prit beaucoup de temps, mais, à force de ténacité, elle réussit. Ils purent alors délier leurs pieds et commencèrent à se sentir mieux. Poutant, Anna n'était guère optimiste quant à la suite des événements. Grant vacillait sur ses jambes endolories, et elle n'était pas en meilleure forme que lui.

— Qu'allons-nous faire maintenant ?

Grant s'approcha de la lucarne qui donnait sur la cime des arbres. Devinant son intention, Anna prit les devants.

— Très peu pour moi, nous sommes au moins au troisième étage !

— On aurait pu grimper sur le toit, mais l'ouverture est trop étroite pour moi...

— Tant mieux ! s'exclama Anna qui n'avait aucune envie de jouer les acrobates.

— Allons voir du côté de la porte.

Elle était en chêne massif. Aucune issue possible de ce côté-là non plus. Décidément, leur sort n'était guère enviable... Peut-être leurs ravisseurs avaient-ils l'intention de les laisser mourir de faim dans ce grenier ? Triste perspective ! Anna se mit soudain à rêver à des tartines beurrées et à un bol de café au lait... Au fait, elle avait du chocolat aux noisettes dans son sac à dos, où était-il donc passé ? Pas la moindre trace... La jeune femme se mit à regretter ses petites provisions bien plus que ses notes ou son appareil photo. Leurs ennemis étaient diaboliques ! Quel meilleur moyen de démoraliser l'adversaire que de le priver de nourriture ? En songeant à ce qui les attendait s'ils ne parvenaient pas à s'enfuir, Anna fut saisie d'une sourde angoisse.

L'estomac dans les talons, elle demanda d'un ton morose :

— Si jamais ils entrent ici, que dois-je faire ?

— Tu me laisses le champ libre. J'ai quelques comptes personnels à régler avec eux, sans parler du traitement de choix que je réserve à celui qui a osé t'assommer...

Il leur sembla entendre des pas dans le couloir. Etaient-ils en train de rêver ? Non, certainement pas. Les pas se rapprochaient. Grant se leva, et fit signe à Anna de se placer derrière lui. La porte s'entrouvrit. De toute sa force, Grant se jeta contre elle, écrasant le visiteur entre le battant et le mur. Puis, il s'approcha de leur geôlier et lui régla son compte avec un uppercut digne d'un professionnel. L'homme s'écroula sur le sol. La voie était libre ! Mais Grant n'en avait pas encore terminé.

— Aide-moi à le ficeler.

Ils attrapèrent le corps inanimé, le tirèrent à l'intérieur de la pièce et, en un tournemain, leurs liens avaient changé de destinataire. Ils regardèrent alors leur geôlier de plus près. Anna ne le reconnaissait pas, mais Grant hochait la tête.

— C'est un de ceux qui m'ont attaqué, je ne l'avais jamais vu auparavant. Dommage que nous n'ayons pas de temps à perdre, je me serais volontiers occupé de lui.

— Qu'allons-nous faire maintenant ?

Le regard de Grant pétillait comme aux plus beaux

jours. Malgré ses traits tirés et sa blessure au crâne, il avait l'air de s'amuser comme un fou !

— Jouer au redresseur de torts, ma belle ! C'est mon rôle préféré...

Anna soupira. Que faire, sinon emboîter le pas à cet incorrigible aventurier ?

14.

Grant tendait l'oreille.

— Il vaudrait mieux que nos ravisseurs ne nous trouvent pas ici... Suis-moi, nous allons faire leur connaissance.

— Mais... C'est le travail de la police, ça !

— Peut-être, mais je crains fort qu'elle ne se déplace pas pour quelques plantes fanées. Or moi, je veux sauver Arrowmead ! Comme le temps presse, j'ai l'intention de mener l'enquête moi-même.

— Soit, rétorqua Anna, ironique. Cherchons le passage secret... Retrouvons le mot de passe... Déguisons-nous en bandits pour mieux berner nos ennemis...

— Chut... Je cherche d'abord comment te mettre à l'abri.

— Il n'en est pas question ! Je reste avec toi.

— Non, il y a trop de danger.

— Si jamais je me retrouve libre sans toi, j'appelle immédiatement la police !

Grant arbora un air contrarié.

— Mais enfin, tu m'as toujours dit que tu n'aimais que le confort ! Tu meurs de faim, et un bain chaud te ferait le plus grand bien.

Anna fit la sourde oreille.

— Je reste avec toi. Point final.

Mieux valait partager le sort de Grant plutôt que de se morfondre loin de lui...

Devant la détermination de sa compagne, Grant capitula. Ensemble, ils quittèrent le grenier et s'avancèrent le long d'un interminable couloir désert jusqu'à un grand escalier. Silencieusement, ils entreprirent de le descendre. Le cœur d'Anna battait à toute allure, une sueur glacée ruisselait dans son dos. Grant au contraire, l'œil vif et le pied alerte, paraissait aussi à l'aise qu'un animal en chasse dans sa jungle natale.

Arrivés au premier palier, ils découvrirent un autre couloir, dans lequel s'alignaient une collection d'armures et des portraits anciens. Au sol, des tapis orientaux décoraient richement le dallage de marbre blanc. Que de trésors étalés sous leurs yeux ! A n'en pas douter, ils se trouvaient dans une riche demeure remplie d'antiquités de valeur.

Un bruit de pas précipita Grant et Anna à l'abri d'une grande armure. C'était une femme de chambre qui traversait le couloir, les bras chargés de serviettes de toilette. Avant qu'ils aient eu le temps de quitter leur cachette, un maître d'hôtel transportant des boissons sur un plateau en argent apparut en haut de l'escalier et avança dans leur direction. Par chance, il s'arrêta deux portes avant eux et repartit par le même chemin.

Grant exultait.

— Je suis sûr qu'il se passe ici des choses très intéressantes !

Sur ce, il poussa la porte voisine de celle qu'avait empruntée le maître d'hôtel, et, sitôt à l'intérieur, ouvrit la fenêtre et tendit l'oreille. Quelqu'un criait :

— J'ai rempli mon contrat, et il faut me payer maintenant.

Un murmure inaudible. Puis, une autre voix, exaspérée celle-là.

— Mais pourquoi es-tu ici ? Il ne faut pas qu'on nous voie ensemble !

Puis, les voix se mirent à chuchoter. Grant fronça les sourcils, frustré. Avant qu'Anna ait eu le temps de faire le moindre geste, il enjamba prestement la fenêtre. Un clin d'œil, un sourire, et le voilà qui, agrippé à la façade, progressait lentement sur le rebord étroit qui courait le long du bâtiment. Horrifiée, Anna le regarda avancer en direction de la pièce voisine. Serrant les dents d'impuissance, elle enfonça les mains dans ses poches où ses doigts rencontrèrent un objet froid. Tiens... c'était son petit magnétophone. Zut ! Grant était déjà trop loin pour qu'elle pût le lui tendre. Quel dommage... Muni de cet appareil, il aurait pu rapporter un témoignage précieux. Elle devait à tout prix le lui donner. Et pour cela, il n'y avait pas trente-six solutions !

A son tour, elle enjamba la fenêtre en évitant soigneusement de regarder la grande terrasse qui s'étendait au-dessous d'elle. « Allons, se dit-elle, si Grant est passé, je peux en faire autant ! Dans quelques années, je rirai en me souvenant de tout cela. »

En attendant, elle ne riait pas. Pas du tout, même. Mais au moins, elle pouvait entendre la conversation. En espérant qu'il serait assez puissant, elle mit son magnétophone en marche. Une voix d'homme, vaguement familière, demandait :

— Où diable est-il passé ? Nous ne pouvons rien faire sans lui !

— Puisque je vous dis que je n'en sais rien ! rétorqua une voix de femme. Celle d'Olivia, sans aucun doute. J'ai téléphoné à son hôtel à New York après la parution de l'article, mais on n'a pas pu me dire où il était parti.

— Il faut absolument le retrouver et le persuader de nous céder ses parts.

— Oh, il finira par faire ce que je lui demande ! déclara Olivia avec suffisance. Comme toujours...

— Pourtant, il n'avait pas l'air d'approuver le projet Glomac...

Oui, il s'agissait bien de Matheson. La voix d'Olivia reprit, méprisante.

— Grant se rendra compte qu'il n'a pas le choix.

Comme cela devait être pénible pour Grant de découvrir autant de duplicité chez la femme de sa vie !

Matheson s'éclaircit la gorge.

— Espérons que notre histoire tiendra encore quelque temps. Tous ces gens qui essaient de fourrer leur nez dans nos affaires me contrarient beaucoup. Imagine qu'on aille voir de plus près ces soi-disant plantes rares, quelle tête ferions-nous ?

Un silence. Puis, de plus en plus agacée, la voix de Matheson de nouveau.

— Mais que fait donc Griffiths ? Il me tarde qu'il vienne nous dire qui est l'homme qu'ils ont capturé après Anna Hawkins... De toute façon, c'est l'anarchie depuis le début ! Si Parry s'était contenté de mentionner les insectes au lieu de planter des espèces qui ont tout de suite crevé, nous n'en serions pas là !

— Mais c'est Olivia qui m'a demandé de le faire !

Oh, la, la... Cette voix geignarde, c'était Jake tout craché !

— C'est vrai, reconnut Olivia. Mais vous m'aviez dit que cela aurait l'air plausible. Je vous ai fait confiance.

Anna jubilait. Voilà exactement ce dont ils avaient besoin ! Pourvu que le magnétophone fonctionne correctement... Si elle essayait de se raprocher de la fenêtre ? Hélas, elle dut faire du bruit, car Grant tourna vivement la tête, et, ne comprenant pas ce qu'elle faisait là, lui jeta un regard courroucé. C'est alors qu'Anna commit *la* bêtise. Elle regarda en bas. Aussitôt, le vertige la saisit et elle se mit à vaciller, persuadée qu'elle allait tomber à la renverse. Vite, il fallait au moins que Grant attrape l'appareil avant qu'elle ne plonge sur la terrasse en contrebas !

Mais elle ne tomba pas. Grant l'avait solidement agrippée par le poignet et la maintenait fermement. Ce fut le magnétophone qui alla s'écraser une dizaine de mètres plus bas.

— J'ai entendu quelque chose. Qu'est-ce que c'était ? demanda Olivia.

— C'est la fenêtre d'à côté qui ne ferme pas bien. Tu devrais surveiller tes nerfs, conseilla Matheson.

— Je vous assure que...

— Suffit ! Tu as eu tort de quitter Arrowmead. Il faut que tu y retournes au cas où Grant essayerait de te joindre. Quant à vous, professeur Parry, nous resterons en contact, mais je vous recommande la plus grande discrétion. Si vous me mettez de nouveau en danger par votre maladresse, je me considérerai comme dégagé de toute obligation à votre égard. C'est déjà suffisamment contrariant que vous ayez amené cet homme ici.

Des chaises glissèrent sur le sol, des pas résonnèrent. Une porte s'ouvrit et se referma.

Toujours cramponnée de son mieux, Anna ne quittait pas Grant des yeux. Elle se sentait totalement incapable de retourner d'où elle venait. Pourtant, d'ici peu, des gens allaient sortir de la maison, et découvrir le magnétophone par terre. Ils ne manqueraient pas de lever les yeux et de remarquer ces deux étranges créatures accrochées à la façade...

— Viens par ici, chuchota Grant. Tout va bien.

Il tira doucement Anna vers lui, et, lentement, ils progressèrent ensemble jusqu'à la fenêtre de la pièce qui venait d'être libérée. Prestement, il sauta à l'intérieur et aida Anna à en faire autant. Ses yeux bleus lançaient des éclairs de colère.

— Tu es folle ? Qu'est-ce qui t'a pris de me suivre ?

— Hmm... Je voulais te passer le magnétophone...

Grant leva les yeux au ciel, exaspéré.

— Sortons d'ici au plus vite, dit-il simplement. On ne va pas tarder à découvrir notre fuite.

Ils coururent à toutes jambes en direction de la porte d'entrée. Devant la maison se trouvait la Jaguar de Grant.

— Elle a eu le toupet de prendre ma voiture !

Visiblement, il était furieux, mais, sans perdre de temps, il se glissa sous le châssis. Anna l'entendit marmonner une suite de chiffres, actionner un discret mécanisme, et il réapparut, la clé de la voiture à la main. Vite, il ouvrit les portières, mit le contact et démarra en trombe.

Ils n'étaient pas sortis de l'allée qu'un choc violent sur la vitre arrière les fit sursauter. Pas de doute, on leur tirait dessus. Verte de peur, Anna jeta un coup d'œil sur Grant qui, impassible, se contenta d'accélérer. Très vite, ils semèrent leurs poursuivants en roulant à tombeau ouvert sur des routes secondaires avant de rejoindre la nationale. Mais au lieu de continuer, Grant prit un chemin de traverse et roula jusqu'à une petite clairière. Il arborait un air sérieux qui n'allait pas sans inquiéter la jeune femme.

— Anna, il faut que je te parle sérieusement.

— Je t'écoute.

— Tu sais que j'ai investi tout mon argent dans le financement du parc scientifique, et que, à l'heure actuelle, mes actions ne valent plus rien.

— Oui, répondit Anna qui ne comprenait pas la nécessité de cette mise au point.

— Donc, je suis complètement fauché, et au chômage par-dessus le marché... mais libre comme l'air. Olivia ne compte plus pour moi.

— Hmm... Où veux-tu en venir ?

— Veux-tu m'épouser, Anna ?

— Oui, mais...

La jeune femme n'eut pas le temps d'ajouter quoi que ce soit. Grant l'avait déjà attirée contre lui et l'embrassait avec une fougue qui reléguait leurs précédents baisers au rang de jeux d'enfants. Passionnément, Anna lui rendait son étreinte. Oui, elle était folle. Folle d'accepter de lier sa vie à un homme qui ne rêvait que d'aventure et de danger ! Mais si cette folie avait le visage de Grant, peu importe que les balles sifflent au-dessus de sa tête...

— Dis-moi, reprit Grant, tu es sûre que tu ne regretteras pas les couturiers parisiens ?

Anna éclata de rire.

— Je n'ai jamais envisagé le mariage comme un moyen de renouveler ma garde-robe !

— Tant mieux ! Si nous sommes très économes, je réussirai peut-être à t'offrir un T-shirt pour nos noces d'or...

— Mais comme je suis un expert très en vue, si tu es bien sage, je t'achèterai de temps en temps une cravate.

— Pitié ! Je ne veux plus jamais en porter !

Grant était redevenu aussi gai et exubérant que lorsque Anna avait fait sa connaissance. Ce revers de fortune n'entamait pas le moins du monde son dynamisme. Son immense force de caractère et son courage à toute épreuve le poussaient déjà en envisager l'avenir avec confiance.

— Si tu savais comme je suis soulagé ! J'ai failli devenir fou ces dernières semaines. Déjà, je n'aimais plus Olivia, mais tant que j'étais persuadé qu'elle se sacrifiait pour mon projet, je ne pouvais pas rompre avec elle. Maintenant, j'ai enfin la liberté d'organiser mon travail et ma vie à mon idée.

— Que comptes-tu faire ?

— D'abord, essayer de remettre ma société sur pied. J'avais heureusement fait preuve de prudence en rédigeant un règlement qui interdit un profit rapide à quiconque rachèterait mes parts. Il faudrait l'aval de 75% des actionnaires pour changer les accords que j'ai établis avec mes amis d'Amazonie. J'ai beau n'avoir que 30% des parts, cela me suffit pour bloquer Glomac.

Anna essayait d'imaginer des solutions rapides.

— Si nous rendons publique leur imposture, et ce sera facile grâce à la bêtise de Jake, le prix des actions va remonter... Donc, si Glomac revend ses parts, ce sera avec profit. Pourquoi ne le feraient-ils pas puisqu'il leur sera impossible d'utiliser la société comme ils le désirent ?

— C'est une des possibilités seulement. L'idéal serait qu'Olivia ou Jake passe aux aveux, mais ils ne me paraissent guère disposés à cela...

— Qu'allons-nous faire ?

— Attendre l'inspiration.

— Ah ! Et comment ?

— Comme ça !

Et Grant se pencha sur Anna à qui il murmura dans un souffle :

— Je suis sûr qu'il n'y a pas meilleur moyen d'avoir de bonnes idées...

138

...

Un long moment plus tard, Grant s'écarta d'Anna en soupirant.

— J'aimerais bien pouvoir t'embrasser autrement que coincé entre un volant et un levier de vitesse !

— Oui... Ce serait bien agréable... Mais il n'y a rien à espérer du côté de ma tante. Même la bague au doigt, elle nous mettrait dans une chambre équipée de lits jumeaux. Quant à ton superbe centre d'accueil, doté de trente chambres, inutile d'y songer ! Il est aux mains de ton ex-fiancée... Au fait, quand comptes-tu lui annoncer la nouvelle ?

— Cela ne saurait tarder...

— Ecoute, si nous commencions par aller boire un café chez ma tante ?

Grant passa la main sur sa barbe vieille de plusieurs jours.

— Bonne idée. J'en profiterai pour me raser. Ensuite, nous aviserons... Matheson et les autres savent que je suis de retour, puisque j'ai repris ma voiture. J'espère qu'ils vont s'affoler et commettre des imprudences.

Anna hocha la tête. Elle était moins optimiste que son compagnon, mais on pouvait toujours espérer...

Harriett laissa échapper un cri d'horreur en découvrant les deux fugitifs sur le pas de sa porte. Hâves et dépenaillés, ils faisaient effectivement pitié. Après les avoir munis de serviettes de toilette, elle les envoya prendre une douche et quelques instants plus tard, les cheveux encore humides, Grant et Anna dévoraient à belles dents l'impressionnant petit déjeuner qu'elle avait préparé à leur intention.

— Au fait, tante Harriett, déclara Anna entre deux tartines de confiture, Grant et moi sommes fiancés...

— Oh! Quelle bonne nouvelle! s'exclama la brave dame. Puis, en riant, elle ajouta : J'ai peut-être une chance d'être bientôt débarrassée de mon pensionnaire indésirable...

Grant fit un clin d'œil à Anna.

— Je vous promets de faire tout mon possible! En attendant... Hmm...

Anna lui vint en aide.

— En attendant, Grant a besoin que tu lui offres l'hospitalité pendant quelque temps.

Harriett leva un sourcil interrogateur, mais s'abstint de toute question indiscrète.

— Bon, très bien. Je vais lui préparer la chambre du fond pour ce soir.

Les deux jeunes gens passèrent le reste de la journée à s'embrasser dès qu'Harriett avait le dos tourné et à discuter de la meilleure tactique pour faire échouer les desseins de Glomac.

Le soir venu, Harriett les accompagna à l'étage et conduisit Grant jusqu'à une petite chambre au bout du couloir, où un lit étroit l'attendait. Sous l'œil vigilant de la bonne tante, il déposa un chaste baiser sur la joue d'Anna et lui souhaita bonne nuit.

Dûment escortée par Harriett, Anna gagna sa chambre, puis, enfila une chemise de nuit fraîchement repassée avant de se glisser dans son lit.

Dix minutes plus tard, on frappa à sa porte. C'était Grant, qui se faufila à l'intérieur avec des airs de conspirateur. Anna eut peine à retenir un éclat de rire en aperce-

140

vant son fiancé. Le pyjama de l'oncle Walter qui lui arrivait tout juste à mi-mollets, formait à la taille une multitude de fronces des plus comiques.

— Quelle élégance ! Mais au fait, que viens-tu faire ici ?

— Dire bonsoir à William, bien sûr ! Et accessoirement, passer un moment avec toi...

— Tante Harriett ne serait pas du tout d'accord, tu sais.

— Au diable ta brave tante ! Si elle voulait vraiment m'empêcher de te voir, il aurait fallu qu'elle m'attache au pied du lit.

A cette remarque, Anna pouffa.

— Chut ! Tu vas réveiller toute la maisonnée, chuchota Grant en s'asseyant près d'elle. Mais je connais un bon moyen de te faire taire...

Et aussitôt, il enlaça la jeune femme et se mit à l'embrasser avec autant de fougue que s'ils ne s'étaient pas vus depuis des semaines.

Lorsqu'il releva la tête pour reprendre son souffle, Anna caressa lentement ses boucles blondes.

— J'aimerais tellement que tu réussisses à débarrasser Arrowmead de tous ces vautours !

Rêveur, Grant hocha la tête.

— Et si tu parlais à Olivia ? Elle a dû paniquer quand je lui ai dit que le parc ne rapporterait rien avant plusieurs années, et elle a préféré parier sur Glomac. C'est logique.

Anna s'abstint de tout commentaire. C'était bien dans la nature généreuse de Grant que de chercher des excuses à celle qui était devenue sa pire ennemie !

— Reste sur tes gardes, se contenta-t-elle de lui conseiller. Matheson n'est pas du genre à faire de cadeau à qui que ce soit.

— Ne te fais pas de souci : je ne prends jamais de risques inutiles.

— Alors il est temps que tu retournes dans ta chambre. Imagine un peu la tête que ferait ma tante si jamais il lui venait à l'idée de me monter une tasse de tisane !

Grant laissa échapper un gros soupir.

— Allons, je vais essayer de rêver de toi...

Et avec un sourire, il regagna sa petite chambre au lit étroit.

Anna passa une fort mauvaise nuit. Au lieu de rêver de la douceur des baisers de Grant, elle fit cauchemar sur cauchemar. De mystérieux ennemis poursuivaient son fiancé qui s'enfuyait, mais finissait toujours par tomber dans une embuscade.

C'est avec un réel soulagement qu'elle s'éveilla et qu'elle le retrouva à la table du petit déjeuner. Le repas terminé, il alla dans le bureau de Walter passer quelques coups de fil. Ensuite, il fit part de son programme à Anna.

— J'ai pris rendez-vous en ville avec le notaire. Nous pourrions y aller ensemble si tu es disponible ?

— Volontiers !

Comme ils étaient un peu en avance, ils en profitèrent pour flâner un moment. En passant devant la vitrine d'un magasin de jouets, Grant insista pour entrer et acheter une superbe tarentule en caoutchouc noir qu'il offrit à Anna.

— En souvenir de notre première rencontre ! expliqua-t-il solennellement.

La jeune femme s'amusa beaucoup de cette idée de gamin. Mais après tout, c'était une délicate attention.

— Je demanderai à William ce qu'il en pense ! s'exclama-t-elle en fourrant le jouet dans sa poche.

Ils retournèrent vers l'étude du notaire, et Grant redevint sérieux.

— Comme mon entrevue risque de durer assez longtemps, je te propose de continuer tranquillement à faire du shopping et à me rejoindre vers quinze heures. Est-ce que cela te convient ?

— Parfaitement. J'ai justement envie d'aller faire un tour à la librairie.

Tout de suite, la jeune femme se dirigea vers son rayon

142

favori et, au bout de quelques instants, elle mit la main sur un ouvrage consacré à la faune du veld africain qui avait l'air passionnant. Elle ne résista pas à son envie de l'acheter et décida d'aller en commencer la lecture dans la salle d'attente du notaire.

La secrétaire l'accueillit fort aimablement.

— Que puis-je pour vous, mademoiselle ?

— Je souhaite simplement lire en attendant que M. Mallett ait terminé.

La secrétaire arbora un air surpris.

— M. Mallett ne s'est pas attardé. Il est parti presque tout de suite.

Anna remercia et sortit, le cœur lourd. Grant lui avait menti. Pourquoi donc ?

Très vite, une idée s'imposa à elle. Grant était parti à Arrowmead, elle en était sûre et certaine. Quel fou ! Comme s'il n'avait pas déjà suffisamment couru de dangers...

Hélas, l'absence de la Jaguar le long du trottoir ne fit que confirmer ses craintes. Mais tout à coup, la colère l'emporta. « C'était bien la peine que je lui recommande la prudence ! » Eh bien, puisqu'il n'écoutait rien, elle ne l'écouterait pas non plus. Elle allait de ce pas alerter la police ! Et tant pis si Grant n'était pas content...

Vivement, elle partit en direction du poste de police qui se trouvait en haut de la petite rue pavée. A sa grande déception, il était fermé ce jour-là. Zut ! Que faire ? Elle avisa un peu plus loin une cabine téléphonique et y entra. L'appareil était hors service. Zut et zut ! Elle jouait décidément de malchance...

C'est alors que quelqu'un la héla, depuis une petite voiture rouge. C'était son amie Joyce. Elle s'apprêtait à se garer avant de gagner sa boutique, mais Anna ne lui en laissa pas le temps. En deux mots, elle lui expliqua la situation et lui demanda de lui prêter son véhicule pour rejoindre son téméraire fiancé. Toujours obligeante, Joyce ne fit aucune difficulté pour lui céder le volant et Anna partit aussitôt en direction d'Arrowmead.

L'idée de se retrouver en présence de ceux qui l'avaient frappée et séquestrée ne l'enchantait guère, mais la pensée que Grant était peut-être à leur merci lui plaisait encore moins. Elle serra les dents et accéléra.

Une fois arrivée à proximité du bâtiment, elle gara la voiture derrière un épais massif de rhododendrons et s'avança prudemment. Pas le moindre bruit. Personne. Tout au moins, apparemment. Un rideau pourtant flottait à la fenêtre du bureau de Grant. Peut-être y avait-il quelqu'un à l'intérieur ?

Le cœur battant, le souffle court et l'oreille aux aguets, Anna pénétra dans le hall et s'avança silencieusement. Le bureau de la secrétaire était vide, mais des voix lui parvinrent distinctement. Elles provenaient du bureau de Grant.

— Que devons-nous faire maintenant ? demandait une voix d'homme qu'elle ne connaissait pas.

— J'avoue que je ne sais pas trop pour l'instant, répondit la voix d'Olivia. Il ne faut pas oublier qu'il a fait un testament en ma faveur...

— Décide-toi, il va bientôt revenir à lui. D'ailleurs, j'ai bien envie de l'attacher.

Anna en avait assez entendu. Inutile de chercher à appeler la police, elle n'arriverait jamais à temps. A tout moment, Olivia pouvait décider d'hériter sans même s'être donné la peine de se marier.

Alors, que faire ? Crier que Grant venait de modifier son testament ? Absurde ! Ouvrir la porte et les assommer tous les deux ? Impossible ! Non, la seule chose à faire était de gagner du temps. Mais comment ? Machinalement, Anna fit des yeux le tour de la pièce. Le téléphone ! Elle avait une idée...

Sans attendre, elle fila à l'autre bout du couloir, pénétra dans un bureau vide et composa la ligne directe de Grant. L'entreprise était risquée mais valait d'être tentée. Après plusieurs sonneries, Olivia se décida enfin à décrocher.

— Arrowmead, répondit-elle laconiquement.

Anna déguisa sa voix du mieux qu'elle put. Un accent pointu et un registre aigu devaient permettre de tromper l'adversaire.

— Je suis la secrétaire du notaire de M. Mallett et je souhaiterais lui parler pour une question urgente.

— Je suis désolée. M. Mallett vient de quitter son bureau.

— Ah... C'est ennuyeux. Nous avons un problème à propos du testament qu'il est venu établir ce matin dans l'étude de maître Fairfax. Il nous a demandé d'envoyer la note à son bureau, et le document lui-même chez Mlle Anna Hawkins. C'est inhabituel et nous voudrions nous assurer qu'il n'y pas d'erreur.

— Si, il y a une erreur, c'est évident ! s'exclama Olivia. Je vous prie de bien vouloir envoyer facture et testament à son bureau.

Anna fronça les sourcils. Que cette Olivia était donc maligne ! Evidemment, elle ne se serait pas gênée pour détruire le document... Il fallait jouer au plus fin avec pareille adversaire.

— Je suis désolée. M. Mallett doit nous le confirmer lui-même. Vous seriez bien aimable de lui transmettre notre message.

— En tant que secrétaire personnelle de M. Mallett, je puis vous affirmer qu'il sera extrêmement contrarié si le testament n'est pas envoyé à son bureau.

— Nous le lui adresserons dès que nous aurons reçu son autorisation. M. Mallett peut nous rappeler dès que cela lui sera possible. Merci de votre compréhension.

Sur ce, elle raccrocha.

Bon... C'était toujours un peu de temps de gagné, car Olivia allait certainement chercher une parade. Mais il fallait absolument trouver un moyen d'aider Grant au plus vite. Voyons... Son bureau donnait sur un jardin. Toutes les ouvertures de ce côté disposaient d'un petit balcon. Il devait être possible d'accéder à la fenêtre de Grant en escaladant la façade...

L'idée que son fiancé gisait, inconscient, aux pieds de ses agresseurs lui ôta ses dernières hésitations. Si jamais Olivia perdait son calme, le pire était envisageable. N'écoutant que son courage, Anna partit en direction du petit jardin. Le rideau voletait doucement à la fenêtre toujours ouverte. En avant, et tant pis pour le vertige !

Grimper aurait pu être un jeu d'enfant. Hélas, un treillage avait été installé pour permettre à des rosiers de grimper le long de la façade et à chaque nouveau mouvement, la jeune femme devait dégager ses vêtements de l'emprise des épines vigoureuses qui s'y incrustaient comme autant de griffes acérées.

Au bout d'un long moment, les vêtements en lambeaux, elle se retrouva enfin sur le petit balcon et risqua un œil derrière le rideau. Très pâle, Grant était assis sur une chaise, le regard perdu dans le vague. A un moment donné pourtant, il fixa la fenêtre et son regard croisa celui d'Anna. Comme ahuri, il cligna des paupières, puis paru comprendre qu'il ne rêvait pas.

Le complice d'Olivia revenait à la charge.

— C'est plus prudent de l'attacher. Surveille-le pendant que je vais chercher de la corde dans la réserve.

Olivia, qui tournait le dos à Anna, acquiesça.

— D'accord. Laisse-moi ton revolver.

L'homme quitta la pièce et Olivia s'approcha de son ex-fiancé.

— Désolée d'en être arrivée là. C'est absurde, mais tu es trop têtu. Tu étais à la tête d'une mine d'or et...

— ... et je n'ai pas su l'exploiter, continua Grant, moqueur. Quelle tragédie ! Surtout pour une belle fille comme toi qui croyais avoir trouvé la poule aux œufs d'or.

— Je vois que tu n'as pas perdu ton sens de l'humour, reprit Olivia, acide.

— Et encore moins celui des convenances ! Je tiens à te dire que je n'apprécie pas du tout la façon dont tu as traité Anna.

146

— Quelle enquiquineuse, celle-là ! J'ai essayé de me débarrasser d'elle, mais elle n'a rien voulu entendre. Rien du tout ! Il fallait absolument qu'elle fourre son nez partout. Alors, tant pis pour elle ! J'espère que cela lui servira de leçon.

La coupe était pleine. Anna écarta le rideau et explosa :

— C'est moi qui vais vous donner une leçon !

Vive comme l'éclair, elle jeta sur son ennemie une bestiole noire aux longues pattes velues.

Olivia recula avec effroi.

Cet instant d'inattention était tout ce dont Grant avait besoin. Il se jeta en avant et s'empara du revolver tandis qu'Olivia se mettait à hurler. On entendit des pas se précipiter dans le couloir. Prestement, Grant se glissa derrière la porte. Griffiths entra et se retrouva aussitôt assommé d'un coup de crosse sur la nuque. Hélas, d'autres voix se faisaient entendre au loin ! Un instant déconcerté, Grant inspecta la pièce du regard, et avisa le grand placard. Saisissant Olivia par les épaules, il la poussa à l'intérieur et referma la porte avec la clé qu'il glissa dans sa poche. Puis, il cala la porte de la pièce avec le lourd bureau pendant qu'Anna s'employait à ficeler Griffiths, toujours inanimé. Grant lui fit un signe d'approbation.

— Bien joué, ma belle. Et maintenant, filons !

Ils descendirent le long de la façade et, sitôt à terre, partirent à toutes jambes en direction de la voiture. Grant avait si bien retrouvé son énergie qu'Anna avait du mal à le suivre. Soudain, une douleur brûlante lui traversa le bras. Elle s'arrêta net, hagarde, et, pour la deuxième fois de la semaine, tout devint noir autour d'elle.

Elle revint à elle sur le siège avant de la Jaguar. Tendu, Grant conduisait encore plus vite que d'ordinaire. Son bras faisait atrocement souffrir la jeune femme qui préféra replonger dans un sommeil semi-comateux.

Lorsqu'elle ouvrit de nouveau les yeux, ils étaient dans les rues de Blandings Magna. La voiture s'arrêta, et, sans savoir comment, Anna se retrouva allongée sur le canapé de sa tante, enveloppée dans un plaid confortable.

— Ce n'est rien, Grant, affirmait l'oncle Walter d'une voix rassurante. Juste une blessure superficielle.

« Quoi ! se révolta intérieurement Anna. Comme si cela ne suffisait pas ! » Mais elle n'eut pas la force de protester à haute voix.

— Comme elle est pâle, s'inquiétait Grant.

— Je vais appeler le médecin, mais je suis sûr que ce n'est pas grave. Elle en a vu d'autres, et des pires !

Grant bégaya :

— Que... que voulez-vous dire ?

— Elle ne vous a jamais raconté ses exploits ? demanda Harriett.

— Je ne sais absolument pas de quoi vous parlez...

— Vous allez voir ! déclara Harriett en se levant.

Quelques instants plus tard, elle revint, un cahier à la main.

— Regardez ! Lisez donc ces coupures de journaux !

Grant obéit.

« Une étudiante découvre un trafic d'oiseaux exotiques... »

— Ça, expliqua Harriett, c'était pendant son voyage en Amazonie. Deux fractures au bras gauche...

Grant continua.

« Une touriste britannique démantèle un réseau de traite des blanches... »

— Et ça, c'était ses vacances en Sicile, continua Harriett. A la suite de cette trouvaille, elle a eu la jambe dans le plâtre pendant un mois. Mais si vous croyez que cela l'a découragée...

Bouche bée, Grant regardait la tante d'Anna.

— C'est extraordinaire ! Moi qui pensais qu'elle ne s'intéressait qu'à sa recherche scientifique et qu'elle avait horreur de l'aventure...

148

— C'est ce qu'elle a essayé de se faire croire ces derniers temps. A elle, et aux autres... Mais cela n'aura pas duré longtemps !

Sur ces entrefaites, le médecin arriva, félicita Walter pour les soins qu'il avait dispensés et confirma son diagnostic.

— C'est douloureux, mais pas très grave. Un joli pansement, un peu de repos, et il n'y paraîtra plus.

Une fois Grant ainsi rassuré, Walter et Harriett décidèrent de laisser les jeunes gens en tête à tête. Mais le fiancé ne tenait pas en place.

— J'emmène Anna faire un petit tour en voiture, cela lui changera les idées.

La jeune femme s'étonna un peu de cette idée, mais Grant paraissait tout heureux de sa proposition. Malgré sa fatigue, elle décida de ne pas le contrarier.

Quelle ne fut pas sa surprise quand elle constata qu'il la conduisait à Arrowmead ! Etrangement, tout était calme dans le jardin et dans les bâtiments. Aucune trace des comploteurs ni de leurs complices.

— On dirait qu'il n'y a plus personne... remarqua Anna.

Grant eut un sourire énigmatique.

— C'est vrai. Et tu sais pourquoi ?

— Je n'en ai pas la moindre idée.

— Ils sont tous en garde à vue, y compris Olivia et Matheson.

Anna écarquillait les yeux de surprise tandis que Grant lui révélait sa stratégie.

— Tu te souviens ? Je t'avais dit que je ne courais jamais de risques inutiles. Donc, en application de ce principe, j'avais demandé à la police d'intervenir dès seize heures, au cas où les choses tourneraient mal pour moi.

— Sage précaution ! Mais pourquoi ne m'avoir rien dit ?

— Je ne voulais pas te donner trop de souci...

149

— Eh bien, c'est raté ! Complètement raté. Si jamais tu récidives, je te promets solennellement que je ne te le pardonnerai pas.

Grant lui adressa un sourire si irrésistible que, malgré sa colère, Anna ne put s'empêcher de le lui rendre.

— Tu sais, continua Grant, pendant que je faisais mes acrobaties, j'avais un magnétophone miniature attaché à ma ceinture. Grâce à ce que j'ai pu enregistrer, je suis certain de réussir à relancer le parc scientifique. Et je te jure que, plus jamais, on ne t'assommera en rase campagne !

— Hmm..., fit Anna. N'oublie pas que, désormais, je te suivrai dans toutes tes aventures.

— Il n'y aura plus d'aventures !

Anna n'en croyait pas un mot. Comment Grant aurait-il pu s'empêcher de réagir aux injustices du monde ? Et d'ailleurs, elle-même avait retrouvé le goût du risque. Ils allaient former une équipe formidable et mener une vie palpitante... Peu importe les plaies et les bosses qu'ils ne manqueraient pas de récolter !

Grant avait-il deviné ses pensées ? Il ajouta, comme pris d'un soudain repentir :

— Mais je te promets que nous ne nous ennuierons jamais.

— Je n'en doute pas ! déclara la jeune femme.

Pourtant, son fiancé arbora un air un peu embarrassé tandis qu'il paraissait chercher ses mots.

— Hmm... J'ai pensé que ce n'était peut-être pas la peine d'abuser plus longtemps de l'hospitalité de ta tante alors qu'il y a tant de chambres vides ici...

Anna leva un sourcil moqueur.

— Tant de chambres, et tant de lits à deux places, n'est-ce pas ?

— Oui.

— Hmm...

A quoi bon résister plus longtemps ?

Avec un sourire complice, elle ajouta :

— Cela me semble une bonne idée. Installons-nous ici et ne dérangeons plus ma pauvre tante.

— Tu es sûre que tu ne regrettes rien ?

— Rien de rien ! Ou plutôt, si...

Grant éclata de rire en la prenant dans ses bras.

— Oui, je sais : William ! Je te promets que nous irons le récupérer demain. Mais à une condition.

— Laquelle ?

— C'est qu'auparavant, nous allions à Canterbury choisir ta robe de mariée !

Chère lectrice,

Vous nous êtes fidèle depuis longtemps?
Vous venez de faire notre connaissance?

C'est pour votre plaisir que nous avons
imaginé un rendez-vous chaque mois
avec vos auteurs préférés, vos
AUTEURS VEDETTE dans les
collections Azur et Horizon.

Les AUTEURS VEDETTE vous
donneront rendez-vous pour de
nouveaux livres vedette.

Pour les reconnaître, cherchez
l'étoile... Elle vous guidera!

Éditions Harlequin

HARLEQUIN

LE FORUM DES LECTRICES

CHÈRES LECTRICES.

VOUS NOUS ÊTES FIDÈLES DEPUIS LONGTEMPS ?

VOUS VENEZ DE FAIRE NOTRE CONNAISSANCE ?

SI VOUS AVEZ DES COMMENTAIRES. CRITIQUES À
FORMULER. DES SUGGESTIONS À OFFRIR. N'HÉSITEZ PAS...
ÉCRIVEZ-NOUS À :   LES ENTREPRISES HARLEQUIN LTÉE.
                     498 RUE ODILE
                     FABREVILLE. LAVAL. QUÉBEC.
                     H7R 5X1

C'EST AVEC VOS PRÉCIEUX COMMENTAIRES QUE NOUS ALLONS
POUVOIR MIEUX VOUS SERVIR.

MERCI. À L'AVANCE. DE VOTRE COOPÉRATION.

BONNE LECTURE.

HARLEQUIN.

VOTRE PASSEPORT POUR LE MONDE DE L'AMOUR.

ROUGE PASSION

De fiévreuses histoires d'amour sensuelles!

De provocantes histoires d'amour passionnées et romantiques qu'on lit d'une seule traite. Aventureuses, parfois humoristiques, et sensuelles, elles mettent en vedette des hommes et des femmes d'aujourd'hui.

ROUGE PASSION . . . quatre nouveaux titres chaque mois.

La COLLECTION AZUR

Offre une lecture rapide et

- ☑ stimulante
- ☑ poignante
- ☑ exotique
- ☑ contemporaine
- ☑ romantique
- ☑ passionnée
- ☑ sensationnelle!

COLLECTION AZUR...des histoires
d'amour traditionnelles qui vous
mènent au bout du monde!
Six nouveaux titres chaque mois.

Composé sur le serveur d'EURONUMÉRIQUE, À MONTROUGE
PAR LES ÉDITIONS HARLEQUIN
Achevé d'imprimer en novembre 1997
sur les presses de l'Imprimerie Bussière
à Saint-Amand-Montrond (Cher)
Dépôt légal : décembre 1997
N° d'imprimeur : 2167 — N° d'éditeur : 6897

Imprimé en France